Junior Plus 4

Méthode de français

I.Saracibar
D.Pastor
C.Martin
M.Butzbach

INTERNATIONAL

www.cle-inter.com

Coordination éditoriale : A. Jouanjus

Direction éditoriale : S. Courtier

Conception graphique et couverture : Zoográfico

Photographie couverture : C. Contreras

Dessins : J. Bosch, F. Hernández, G. Izquierdo,
J. L. Pardo, C. Páramo, J. Rodríguez, Zoográfico

Photographies : Algar ; B. Baudin ; G. Giorcelli ; J. Jaime ; J. Soler ; Michel Lamoureux ;
ORONOZ ; P. López ; Richard Lamoureux ; CONTIFOTO ; CONTIFOTO/POPPERFOTO ;
CONTIFOTO/SYGMA/*F. Soltan* ; CONTIFOTO/SYGMA/L'ILLUSTRATION ; EFE/SIPA-
PRESS/*Alexandra Boulat, J. Benaroch, Olivier Sanchez* ; EFE/SIPA-PRESS/ARCHIVES
TALLANDIER / SIPA ICONO ; EFE/SIPA-PRESS/INTERFOTO USA ; FLASH PRESS ; Iliade
Enguerand/Rubinel ; Iliade Enguerand/M&B ; Marc Enguerand ; INDEX/*Chip Simons, James
Porto, Peter Adams* ; BIBLIOTECA NACIONAL, MADRID © Laboratorio Biblioteca Nacional ;
CITÉ DES SCIENCES ET DE L'INDUSTRIE ; MUSEO NACIONAL DE CERÁMICA GONZALEZ
MARTI, VALENCIA ; TEATRO DE LA COMEDIA FRANCESA, PARÍS ; ARCHIVO SANTILLANA

Recherche iconographique : M. Pinet, M. Barcenilla

Coordination artistique : P. García
Direction artistique : J. Crespo

Correction : B. Faucard-Martínez, D. Garcia Maestre

Coordination technique : J. Á. Muela

Réalisation audio : Transmarato Espectacles, S.L.

Compositions musicales : P. Benages, A. Prio, A. Vilardebo

Enregistrements et montage : Estudio Maraton

Coordination : S.-C. Delort, G. Marques

Assistance à la direction : I. Bres, H. Munné

Direction: A. Vilardebo

TABLE DES MATIÈRES

Junior Plus — 4 contenus

dossier 0 · dossier 1 · dossier 2

INTRODUCTION Découverte des objectifs du dossier du point de vue de l'élève. Mise en train. Manipulation d'un dictionnaire visuel et sonore.

	dossier 0	dossier 1	dossier 2
SITUATIONS Compréhension et expression orales. Acquisitions globales.	Évocations et souvenirs Photos suggestives Réactivation des connaissances et diagnostic	Quiproquos et gaffes Présenter, décrire et accueillir quelqu'un	Conflits de la vie quotidienne Accord, désaccord, accusations Exprimer la certitude
MÉCANISMES Grammaire en situation. Notions et actes de parole.	Diagnostic Décrire et caractériser Indiquer la profession et la nationalité	Exprimer l'appartenance Rapporter des propos	L'obligation, la nécessité, le but Émettre un souhait, donner des conseils Mettre en relief Indiquer une restriction
Syntaxe de la phrase et du verbe. Structuration et déstructuration.	*C'est un(e)*+ profession ou nationalité + adj. *Il / Elle est* + adj. *Il / Elle est* + profession ou nationalité Les formes interrogatives (réemploi)	*Dire / Demander de* + inf. *Dire / Annoncer que* + présent *Demander si / ce que* + présent *Demander quand, pourquoi, combien…* + présent	*C'est moi qui…/ C'est à nous de…* *J'aimerais que* + subj. *Il faut* + inf. / *Il faut que* + subj. *Ne… que*
Grammaire inductive : réflexion sur le fonctionnement de la langue. L'écrit et l'oral.		Le discours indirect au présent Les pronoms possessifs *À* + pronom tonique ou nom propre	Formes et emplois du subjonctif présent : le souhait, la volonté, l'obligation et la probabilité
L'oral et l'écrit. Point d'orthographe. (Cahier)		Discours direct / indirect *On /ont, es /et /est, à / a / as*	[e] = *es, ez, er* [ɛ] = *es, est, ait, ets*
SONS ET RYTHMES Perception et prononciation des traits sonores du français.		Chanson Voyelles nasales / orales Semi-voyelles et voyelles fermées Intentions et intonations	Chanson Système complet des voyelles
ATELIERS DE LECTURE / ÉCRITURE Lecture de documents authentiques, stratégies. (Livre)	Diagnostic de compréhension et expression écrites	Article de revue Lire pour découvrir la numérologie	Mode d'emploi poétique Réagir, analyser la forme et le sens
Écriture créative. (Livre et Cahier)	Lettre d'une adolescente à une revue	Acrostiches	Un portrait à la manière de…
PROJET Intégration créative des savoir-faire. Coopération.		Présenter un personnage-mystère à partir d'un puzzle : ses goûts, ses passions, sa biographie	Créer et présenter en groupe un appareil pour un catalogue d'objets insolites
INFOS Compréhension globale de l'écrit. Intercivilisation		Les noms de famille en France	La Cité des Sciences et de l'Industrie de Paris

BILAN Évaluation des capacités et des progrès : bilan de communication orale (Livre), test de compréhension orale et test écrit (Cahier).

	dossier 0	dossier 1	dossier 2
LEXIQUE Élargissement progressif du lexique dans chaque section.	Révision des niveaux 1, 2 et 3 Description Sensations et sentiments	Traits de caractère Professions Expressions imagées : animaux	Tâches ménagères Conduites grossières ou asociales, insultes

THÈMES TRANSVERSAUX - INTERDISCIPLINARITÉ
Convivialité : Formules de politesse, éducation sociale (0, 1, 2, 4, 5). Connaissance des camarades de classe et de soi-même, amour, amitié (0, 1, 2, 4). Relations familiales et entre voisins (2, 4). En classe, dialogue, tolérance, humour, coopération, respect, réflexion (0, 1, 2, 3, 4, 5, 6). **Santé :** Maladies (5). **Éducation du consommateur :** Analyse de la publicité (5). Abus et alimentation (3). **Protection de l'environnement :** Protection de la faune et de la flore (4). La pollution dans les grandes villes, le manque d'eau, l'écologie (3, 6). Avantages et inconvénients du progrès (2, 3, 4, 6). **Paix et tolérance :** Noms difficiles à porter (1). Accepter les autres (3). Différences générationnelles (2, 4).

Revue pour jeunes :
Junior Magazine (N°3)

Intégration des connaissances
acquises dans les Dossiers 1 et 2
avec les connaissances
antérieures

Pratique de l'expression libre
à partir d'une image

Correction et extension
de l'expression orale

Lecture d'extraits de presse

Décalogue de petits gestes écolo :
bonnes résolutions pour le futur

Réponse au courrier des lecteurs

Débat collectif, prise de position,
expression de l'opinion

Le discours indirect

Lecture d'une BD authentique

Fait divers
Rassurer quelqu'un, demander de
l'aide
Manifester sa surprise

Décrire, évoquer des habitudes
Rapporter des faits passés, les
situer les uns par rapport aux
autres
Exprimer l'hésitation

Extension de la phrase au passé
Réduction de la phrase avec
celui-ci /-là, celui de + nom,
celui qui / que + verbe

Le plus-que-parfait : formation et
emploi
Le passé composé avec *avoir*
(accord)

Les accents graphiques du *e*
[e] = *é* [ɛ] = *è* [ɛ] = *ê*

Poème
Toutes les consonnes occlusives
et fricatives
La semi-consonne [j] de *rien* [rjɛ̃]

Un récit littéraire au passé
Lecture rapide et repérages

Récit à l'envers au passé

Raconter la vie de nos grands-parents à notre âge

Le commerce illicite de faune et de
flore

Les objets qui ont une âme
Exprimer des souhaits
Dire qu'on a oublié quelque chose
Accepter ou refuser une invitation

Le besoin, le but, la nécessité
Faire des hypothèses
Donner des consignes et des
conseils
Faire des recommandations, des
suggestions…

Avoir besoin de + nom / inf.
Pour que + subj., *il faut que* + subj.
Pour + inf., *il faut* + inf.
Si + présent, *il faut* + inf.
Devoir / Il faut + inf.
Nom + adj. / *à, en* + nom.

Le conditionnel : formation et
emplois

Les graphies du son [s]
[s] = *s, ss, c, ç, t*

Chanson
Les doubles consonnes :
[st, sp, sm,...] [kr, gr, br,...]
Intentions et intonations

Une scène de théâtre
Comprendre les intentions de
l'auteur

Conseils malins

Préparer et représenter en groupe
un extrait de pièce de théâtre

Molière et son époque

Revue pour jeunes :
Junior Magazine (N°4)

Intégration des connaissances
acquises dans les Dossiers 4 et 5
avec les connaissances
antérieures

Pratique de l'expression libre
à partir d'une image

Correction et extension
de l'expression orale

Lecture d'informations scientifiques :
inventions futuristes

Test pour évaluer ses connaissances

Réponse au courrier des lecteurs

Débat collectif, prise de position,
expression de l'opinion

Souhaits et recommandations

Lecture d'une BD authentique

Réflexion sur l'apprentissage : sections « auto-évaluation » et « apprendre à apprendre » (Cahier)

Obligations de la vie quotidienne
Écologie, langage scientifique
Opinion, argumentation

Description du visage
Enquêtes policières

Formes, matières, couleurs et
autres caractéristiques
Théâtre, maquillage
Expressions imagées : couleurs

Opinion, argumentation
Inventions, technologie
Souvenirs, souhaits et
revendications

Égalité des sexes : Modèles, attitudes et références non sexistes (0, 1, 2, 3, 4, 5, 6). **Europe :** Diffusion d'une campagne européenne contre le trafic de plantes et d'animaux (4). **Interculture :** Pays riches et pays pauvres (3). Personnages célèbres (0, 1, 2, 5). Universalité des thèmes du théâtre de Molière (5). **Psychologie :** L'adolescence, la transgression, les rêves (2, 3, 5, 6). Se connaître (1, 5). Ce qui nous plaît chez les autres (1). **Littérature :** BD (2, 3, 6). Poèmes et chansons (1, 2, 4, 5). Poésie et théâtre (2, 5). **Sciences et Technologie :** La Cité des Sciences (2). Inventions et découvertes (2, 3, 4, 6). **Histoire :** Noms de famille (1). Théâtre (5). Grandes inventions (6).

- ▸ Tu reprends contact avec le français.
- ▸ Tu réactives et tu vérifies tes connaissances à l'oral et à l'écrit.
- ▸ Tu racontes des expériences personnelles à partir de photos.
- ▸ Tu comprends une lettre authentique qui raconte une belle histoire.
- ▸ Tu inventes une histoire en groupe en reliant des éléments isolés.
- ▸ Tu réfléchis sur l'emploi de *C'est* et *Il / Elle est* à travers un concours.

ÉVOCATIONS...

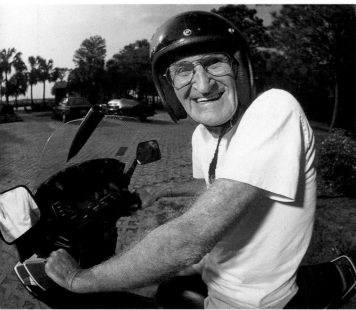

1 **Observe les photos.** Décris-les.

1) Qu'est-ce qu'elles te suggèrent ?
2) Associe une de ces photos à quelque chose que tu as vécu. Raconte.
3) Inventez une histoire en y intégrant 2 ou 3 de ces photos.

  Écoute le concours. Réponds.

1) Est-ce que Florence est nerveuse ?
2) Que fait-elle dans la vie ?
3) D'où vient-elle ?

 Le personnage caché.
Réponds aux questions.

1) À quelle photo correspond-il ?
2) Quelles sont les informations
données sur lui dans le concours ?

 Regarde les autres photos.
Que peux-tu dire de ces personnages
célèbres ?

C'EST OU IL EST / ELLE EST

C'est + un(e) + profession / nationalité + (adj.)

Il / Elle est + adj.

Il / Elle est + profession / nationalité

  Maintenant, jouez au personnage caché.
La classe devine.

J'écris pour vous raconter ma plus belle nuit des étoiles. Ce n'était pas le 9 août, comme on pourrait le penser. En fait, j'étais en camp et nous avons fait un bivouac.

Le soir, plutôt que de dormir sous les tentes, on a préféré s'installer autour du feu de camp, à la belle étoile. Vers minuit, alors que tout le monde se couchait, je me suis glissée dans mon duvet, juste à côté d'un garçon avec qui je m'entendais bien. On a discuté tout en regardant les étoiles : la Grande Ourse, le Petit Cheval, l'étoile du berger...

À chaque fois qu'une étoile filante passait (on a dû en voir au moins 5 ou 6), on faisait un vœu tous les deux. Je ne me suis endormie que vers 3h du matin, le cœur empli de tendresse et des étoiles plein les yeux.

Ce fut la nuit la plus magique de cet été. J'espère que vous aussi, en regardant les étoiles, vous n'oublierez pas de rêver...

6 **Lis le texte.** Réponds.

1) Qu'est-ce que tu comprends à la première lecture ? Explique.
2) Pour t'aider à comprendre le sens des mots inconnus...
   a) cherche les mots semblables dans ta langue ou dans une autre langue que tu connais.
   b) cherche les mots que tu peux comprendre par le contexte.
   c) laisse aller ton intuition et devine les mots que tu ne comprends pas.

7 **Observe ces illustrations.** Laquelle correspond exactement au texte ? Justifie ta réponse.

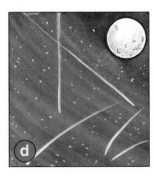

8 À toi d'écrire ! Résume le texte.

- Tu découvres qu'il est facile de faire des gaffes en français.
- Tu revois le féminin et le masculin des adjectifs à l'oral et à l'écrit.
- Tu restitues des objets perdus à leurs propriétaires et tu révises l'appartenance.
- Tu rapportes au style indirect une interview faite à la radio.

- Tu lis un article sur la numérologie.
- Tu découvres les multiples origines des noms de famille français.
- Tu présentes un personnage mystérieux sous forme de puzzle.
- Tu écoutes quelqu'un parler de ses états d'âme dans une chanson.
- Tu trouves les correspondances entre les voyelles orales et nasales en français.

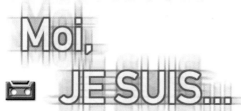

Moi, JE SUIS...

Confiante

Triste

Gai

Malheureux

Satisfaite

Agressif

Timide

Naïf

Râleuse

Modeste

Calme

Inquiète

Indiscret

Méfiant

Désagréable

Dégoûtée

Amoureuse

Seule

Heureuse

Indécise

Têtu

Renfermé

Idiot

Embarrassé

Indifférent

Gaffeur

Jaloux

Optimiste

Sociable

Frustré

Et toi, comment es-tu normalement ?

Comment te sens-tu aujourd'hui ?

Quiproquos et GAFFES

1 **Écoute et observe les illustrations.** Réponds aux questions. Lis les dialogues et vérifie tes réponses.

SITUATION 1

a) Quels personnages interviennent dans cette conversation ?
b) Où sont-ils ?
c) Qui est M. Ducros ?
d) Qu'est-ce qu'il a perdu ?
e) Qui attend-il ?
f) Pourquoi est-ce que le jeune homme ne parle pas beaucoup ?
g) Pourquoi est-il là ?

1
● Mme Renard, vous pouvez venir une seconde ? Je ne trouve plus mes lunettes ! Faites vite, s'il vous plaît. Vous savez que je suis myope comme une taupe, et en plus j'attends le nouveau technicien.
(On frappe à la porte.)
Ah, le voilà ! Entrez, s'il vous plaît. Comment allez-vous ? Enchanté de faire votre connaissance. Je suis M. Ducros, chef des ventes. Je vous souhaite la bienvenue au nom de notre entreprise.
◆ Merci, merci beaucoup...
● Asseyez-vous, je vous en prie.
◆ Excusez-moi, mais je suis pressé. Il faut...
● Ah, je vois que vous êtes un jeune homme responsable et travailleur ! Excellent, excellent.
◆ Merci, mais...
● Voulez-vous remplir cette fiche, s'il vous plaît ? Simple formalité !
◆ Heu... D'accord... mais... la pizza, c'est pour qui ?

2 **Canevas : inventez une situation avec un quiproquo.**

Tu es seul(e) à la maison.
On sonne à la porte. C'est un monsieur.
Tu vas ouvrir parce que tu crois que c'est...
Mais... ce n'est pas lui...

SITUATION 2

a) Où sont-elles ?
b) De qui elles parlent ?
c) Stella, qui est-ce ?
d) Que pense Sylvie de son nouveau prof de sciences ?
e) Pourquoi elles rient ?

2

● Aline, Aline. Salut ! Oh là là ! Quelle journée !
■ Salut !! Tiens, je te présente Stella, une nouvelle. Elle vient de Brest.
◆ Bonjour !
● Salut !
■ Alors, tu as un bon emploi du temps ?
● Ouais, j'ai trois après-midi de libres.
■ Eh ben, tu as de la chance. Nous, une seulement. Qui tu as en maths, Favorelli ?
● Oui, heureusement ! Mais, en sciences, j'ai un nouveau prof. Et il n'a pas l'air facile ! Tu sais, il ressemble un peu à Jack Nicholson. Il a un regard qui te cloue au sol... Regarde, c'est lui ! Il arrive !!!
◆ C'est lui ? Ha ! Ha ! Ha ! Salut, papa ! Je vous présente mon père, Jacques Marteau. D'après ce que tu dis, il porte bien son nom.

3 Canevas : tu parles de quelqu'un à un(e) ami(e).

Tu décris son aspect physique et son caractère. Mais... tu fais une grosse gaffe !

Blagues !

☺ Un professeur dit à ses élèves :
- Les hommes intelligents sont toujours dans le doute et seuls les imbéciles sont toujours affirmatifs !
- Vous en êtes sûr ?, lui demandent les élèves.
- Absolument certain !, répond le prof.

☺ Quels sont les quatre mots que les écoliers prononcent le plus souvent ?
- Heu... Je ne sais pas.
- Bravo ! Tu as gagné.

☺ Un commandant interroge ses soldats : - Que faisiez-vous dans le civil ? - Guitareur. - On dit guitariste. Et vous ? - Labouriste. - On dit laboureur. Et vous ? - Je ne sais pas si j'étais mineur ou ministre.

EXPRESSIONS POUR...

Présenter quelqu'un

● Je vous présente...
● Je te présente...
● Vous connaissez... ?
● Tu connais... ?
● Voilà...
● Voici...
● C'est...

● Enchanté de faire votre connaissance.

Accueillir quelqu'un

● Entrez.
● Je vous souhaite la bienvenue.
● Comment allez-vous ?
● Asseyez-vous, je vous en prie.

Décrire quelqu'un

● Il a l'air...
● Elle ressemble à...
● On dirait...

onze **11**

À qui EST-CE ?

Les professeurs de gymnastique, fatigués de voir la boîte d'objets trouvés archi-pleine, ont momentanément arrêté les cours pour que tout le monde retrouve ses affaires. Tous les objets qui n'auront pas de propriétaire seront jetés à la poubelle !

1 **Lis et observe l'illustration.** Qui répond à qui ?

1) Retrouve les répliques qui vont ensemble.
2) Écoute et vérifie.

2 **Voilà des objets qui sont restés au fond de la boîte.** Observe l'illustration page 12 et trouve à qui ils appartiennent.

LES PRONOMS POSSESSIFS

		Masc.		Fém.
Sing.	le	mien tien sien nôtre vôtre leur	la	mienne tienne sienne nôtre vôtre leur
Plur.	les	miens tiens siens nôtres vôtres leurs	les	miennes tiennes siennes nôtres vôtres leurs

3 **Devinettes !**

« Le mien est à droite du tien, loin du sien et plus grand que le leur. Qu'est-ce que c'est ? » (mon pied gauche)

« La mienne est verte, aussi sale que la sienne et plus vieille que la tienne. Qu'est-ce que c'est ? » (ma trousse)

Invente d'autres devinettes en utilisant le maximum de pronoms possessifs.

 LES PRONOMS TONIQUES

Moi	Nous
Toi	Vous
Lui / Elle	Eux / Elles

4 **Jeu : À qui est-ce ?** Votre professeur a discrètement pris un objet à chaque élève. Découvrez le / la propriétaire de chacun.

L'APPARTENANCE

Observe.

À qui est ce sac ?
Il est à Daniel. Il est à lui.
C'est le sac de Daniel. C'est son sac. C'est le sien.

À qui sont ces clés ?
Elles sont aux jumeaux. Elles sont à eux.
Ce sont les clés des jumeaux. Ce sont leurs clés.
Ce sont les leurs.

a) Quelles structures te permettent d'exprimer l'appartenance ?

b) Remplace *Daniel* par *Marie* et *jumeaux* par *jumelles*. Que se passe-t-il ?

c) Par quoi sont précédés les pronoms toniques quand on exprime l'appartenance ? Est-ce pareil dans ta langue ?

 Réécoute l'interview. Lis les affirmations suivantes et réponds par vrai ou faux.

La journaliste demande à Quentin...

a) s'il fait du sport.
b) ce qu'il fait quand il est triste.
c) combien de répétitions fait le groupe.
d) comment sont ses relations avec ses parents.
e) de donner un conseil aux jeunes qui commencent.
f) pourquoi il dort autant.
g) ce qu'est pour lui un bon ami.
h) de présenter son groupe.

Quentin, le chanteur du groupe BTM,

i) répond qu'ils répètent tous les jours et il ajoute que c'est pour cela qu'il est en pleine forme.
j) affirme qu'il a les pieds sur terre.
k) explique qu'il passe un temps fou à s'occuper de ses cheveux.
l) répond qu'il est un chat.
m) dit qu'il est toujours là quand on a besoin de lui.
n) conseille aux jeunes débutants de ne pas attendre un succès immédiat, de travailler et de persévérer.
o) explique qu'il a besoin de sa dose de sommeil pour être bien.
p) dit qu'il appelle ses amis et sa famille quand il est triste.
q) affirme qu'il se maintient en forme en faisant du vélo.
r) dit qu'il a eu une enfance très saine auprès de parents divorcés.

 Écoute cette émission de radio. De quoi s'agit-il ? Qui est-ce ?

LE DISCOURS INDIRECT Quelques emplois

	dit		dit	
Il	annonce qu'il va partir. répète	Elle	demande de conseille	rester. ne pas rester.

RAPPORTER LES PAROLES DE QUELQU'UN ← RAPPORTER UN ORDRE OU UN CONSEIL →

LE DISCOURS INDIRECT SERT À...

↓

RAPPORTER UNE QUESTION

Il	demande si	tu vas bien.	Elle demande	pourquoi...
Il	demande ce que	tu vas faire.		comment...
				combien...
				où...

 Écoute encore. Vérifie tes réponses.

 **À toi d'écrire !** Reconstitue l'interview.

sons et rythmes

États d'âme

Écoute et chante !

D'habitude,
Je suis extrovertie.
Je danse, je chante, je ris,
Je bavarde comme une pie.
Mais parfois...
Je suis très renfermée.
Je pleure sans arrêt.
Je suis désespérée.

D'habitude,
Je mets du jaune, du bleu,
Du blanc, du rouge, du vert,
J'aime les couleurs claires.
Mais parfois...
Je ne mets que du noir.
Je ne dors pas le soir.
Je fais des cauchemars.

D'habitude,
J'ai beaucoup de copains.
Je discute avec eux
Quand ils sont malheureux.
Mais parfois...
Je manque de patience,
J'ai besoin de silence,
Je ne sais pas pourquoi.

Je veux savoir...

Écoute et imite les intonations.

Qu'est-ce que vous avez fait ?
Vous avez envoyé le courrier ?
Vous avez terminé le dossier ?
Avez-vous téléphoné ?
Mais vous avez vu l'heure qu'il est ?

**Répète ces questions sur
d'autres tons.**

Nos amies les bêtes

Gaspard est rusé comme un renard.
Gaston est doux comme un mouton.
Jean-Loup est laid comme un pou.
François est bête comme une oie.
Marianne est têtue comme un âne.
Gaétan est fier comme un paon.

**a) On utilise les mêmes
   comparaisons dans ta langue ?**
**b) Joue avec d'autres prénoms
   et fais des rimes.**

Pas facile à dire !

Écoute et lis.

> Combien font ces six
> saucissons-ci ?
>
> Ces six saucissons-ci
> font six cent vingt-cinq
> centimes.

Répète de plus en plus vite.

LES VOYELLES NASALES ET LEURS
CORRESPONDANTES ORALES

[ɛ]   [o]

[ɛ̃]   [õ]

[ã]

[a]

**Passe de la voyelle orale à la
voyelle nasale et vice versa.**

Exemples :

fait	faim	bas	banc
[fɛ]	[fɛ̃]	[ba]	[bã]

beau	bon
[o]	[õ]

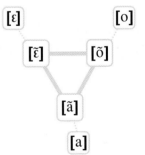

La NUMÉROLOGIE

Beaucoup de gens consultent leur horoscope. Dernièrement, la mode est aussi à la numérologie. Voici, à ce sujet, des extraits d'une page d'un hebdomadaire très connu.

```
1 2 3 4 5 6 7 8 9
A B C D E F G H I
J K L M N O P Q R
S T U V W X Y Z
```

Votre nom vous dévoile...

Amusez-vous à calculer votre nombre d'expression ! Pour cela, écrivez vos nom et prénom usuels et, en vous aidant du tableau de concordance entre lettres et chiffres, notez de 1 à 9 les valeurs correspondant aux voyelles et consonnes.

Ex. : **N a o m i**   **C a m p b e l l**
        $5+1+6+4+9=25$ $3+1+4+7+2+5+3+3=28$

Le total est de : $25+28=53$ qui se réduit en : $5+3=8$

1 **La numérologie.** Qu'est-ce que c'est ?

1) L'étude de l'écriture considérée comme une expression de la personnalité.
2) L'étude de la signification ésotérique des chiffres.
3) La science qui étudie les astres.

2 **Et toi ?** Comment es-tu, d'après ton nombre d'expression ? Es-tu d'accord ?

Votre nombre d'expression

1 ACTION
Le caractère est volontaire, autoritaire, ambitieux, sûr de lui, égoïste et dominateur.

2 AFFECTION
Le caractère est sensible, imaginatif, équilibré, assez diplomate ; il a besoin d'un environnement stable, d'un climat de confiance et de douceur.

3 COMMUNICATION
Le caractère est sensible, généreux, créatif et franc, doué pour la communication. Peut avoir tendance à l'orgueil ou à la colère.

4 CONSTRUCTION
C'est un caractère constructif, persévérant, travailleur, précis, organisé. Il apprécie la routine et protège ses petites habitudes.

5 SÉDUCTION
C'est un caractère souple, vif, adaptable, brillant. Le 5 obéit à ses impulsions, ses coups de foudre, ses envies du moment.

6 SENSUALITÉ
Le caractère du 6 est changeant et conciliant. Il recherche la beauté, la dolce vita.

7 INDÉPENDANCE
Le 7 a le goût de l'étude, le sens de l'analyse, et de l'intuition. Il protège son indépendance. Obstiné, le 7 réussit tardivement, à condition de ne pas être pessimiste.

8 PASSION
Le 8 est un être courageux et même intrépide. Sous des airs de dur, c'est un sensible, doté d'une mémoire d'éléphant.

9 IDÉALISME
Le caractère du 9 est émotif, idéaliste, altruiste, généreux. Hypersensible, contradictoire, il a besoin d'un(e) partenaire clairvoyant(e) pour arbitrer ses états d'âme.

Texte extrait de Sable G., *Cosmopolitan*, mars 1998.

1 OBJECTIF

- Présenter un personnage-mystère à travers un petit texte et une photo découpée en forme de puzzle.

2 PRÉPARATION

- Par groupes de 2, prenez la photo d'un personnage connu. Par exemple : une actrice des années 50, une chanteuse de rock, un homme politique, un metteur en scène, un personnage historique, une sportive célèbre…

- Découpez la photo en forme de puzzle.

- Faites des recherches sur ce personnage et écrivez un texte pour le présenter sans dévoiler son identité.
  Par exemple : faites sa description physique, parlez de ses traits de caractère, de ses goûts, de ses passions, de sa trajectoire professionnelle… Dites tout ce que vous savez de sa vie personnelle, de ses habitudes, de son passé, de ses projets...

3 PRÉSENTATION

- Faites un poster de votre personnage à l'aide de la photo découpée et de la description mystérieuse.

- Donnez un titre à votre poster.

- Montrez le poster et lisez le texte à haute voix. Le reste de la classe essaie de deviner de qui il s'agit.

4 EXPOSITION

- Affichez tous les posters en classe.

Qui est-ce ?

les NOMS

les NOMS de FAMILLE ont leur HISTOIRE

Quand les villages étaient petits, tout le monde se connaissait et il suffisait d'avoir un prénom ou un surnom. Au XVIe siècle, il est officiellement décidé d'ajouter un nom de famille : le patronyme, transmis de génération en génération.

Pour donner certains noms, on s'est inspiré...

DES TITRES DE NOBLESSE :
Paul Leduc
Martine Lecomte
Henri Leroy

DU MÉTIER :
Marc Boulanger
Jean-Paul Charpentier
Danièle Berger
Anne-Marie Marchand

DES NOMS AMUSANTS

Les noms des personnages qui apparaissent dans les Aventures d'Astérix ont toujours un sens qui les rend comiques :

Astérix = astérisque (signe typographique en forme d'étoile : *).
Obélix = obélisque (grande pierre en forme de colonne et terminée en pointe).
Assurancetourix = assurance tous risques.
Hotelterminus = hôtel terminus.

En France, on peut réellement trouver beaucoup de noms de famille qui, seuls ou associés à un prénom, prêtent à rire :
Jean Bon, Simon Paire, Lucas Ramel, Sylvie Tamine, Laure Dynateur.

Il y a aussi des noms lourds à porter :
Françoise Trouillard, Raoul Conard, Jean-Louis Cochon.

de famille en FRANCE

Françoise Hardy

Gérard Lenormand

Jacques Dutronc

DU CARACTÈRE :
Jean-Léon Lesauvage
Françoise Hardy
Patrick Lebon

DES PROVINCES D'ORIGINE :
André Breton
Gérard Lenormand

DE L'ASPECT PHYSIQUE :
Sophie Legrand
Annie Petit
Frédéric Lebrun

DU LIEU D'HABITATION :
Marie Laforêt
Eugène Delacroix
Jacques Dutronc
Patricia Dupont

D'AUTRES NOMS DE FAMILLE ÉVOQUENT...

DES COULEURS :
Caroline Blanc
Jean-Pierre Lenoir

DES ANIMAUX :
Rose-Marie Lecoq
Pascal Lelièvre
Alice Renard

QUESTIONS

Aujourd'hui, l'État autorise le changement de nom.
Il faut uniquement s'adresser au tribunal.
(Cependant, à 99 %, ceux qui possèdent un nom difficile à porter l'acceptent facilement et ne veulent pas en changer.)

1) Que veut dire « patronyme » ?
2) Qu'est-ce qui se passe à partir du XVIe siècle ?
3) Quelle est l'origine de certains noms de famille ? Peux-tu donner des exemples ?
4) Y a-t-il des noms amusants en français ? Et dans ta langue ?
5) Un nom, c'est pour toute la vie ?
6) En France, y a-t-il seulement des noms d'origine française ? Pourquoi ? Et dans ton pays ?

N'oublions pas qu'il faut de tout pour faire un pays et que les Français d'aujourd'hui s'appellent aussi Cohen, Simeoni, Fernandez, Belhaoui, Johnson, Petrov, Schneider, N'Guyen ou Chang.

Présenter ou accueillir quelqu'un.

1 Un(e) ami(e) arrive chez toi pour la première fois. Tu le / la présentes à tes parents. Tu le / la fais entrer et tu l'accueilles. Que dis-tu ?

▸ Formules pour présenter et accueillir quelqu'un

Identifier, décrire et caractériser quelqu'un.

2 Imagine le plus de choses possible sur ce personnage.

3 Comment es-tu ? Parle de toi, de tes qualités et de tes défauts.

▸ *C'est*
▸ *Il / Elle est*
▸ Adjectifs qualificatifs

Exprimer l'appartenance.

4 Voilà quelques affaires retrouvées dans un vestiaire. Retrouve le ou les propriétaires.

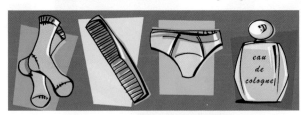

▸ Adjectifs et pronoms possessifs
▸ *À qui est-ce ? C'est à...* + pronom tonique

Exprimer la possession.

5 Céline et Natacha sont jalouses l'une de l'autre. Elles comparent leurs affaires. Qu'est-ce qu'elles disent ?

Exemple : Mes chaussures sont plus modernes que les tiennes.

▸ Adjectifs et pronoms possessifs

Rapporter les paroles de quelqu'un.

6 Que disent tes parents quand tu veux sortir le soir ?

7 Ton frère est sous la douche, un copain téléphone. Tu sers d'intermédiaire.

IL DEMANDE...

▸ Discours indirect

- ▶ **Tu parles de ta contribution aux tâches ménagères.**
- ▶ **Tu te défends, tu accuses, tu approuves et tu désapprouves.**
- ▶ **Tu analyses la formation et les emplois du présent du subjonctif.**
- ▶ **Tu apprends à mettre une action en relief.**

- ▶ **Tu inventes en groupe un drôle d'appareil.**
- ▶ **Tu écris un mode d'emploi poétique à la manière de Jacques Prévert.**
- ▶ **Tu te promènes sur le triangle vocalique français.**
- ▶ **Tu lis une brochure sur la Cité des Sciences.**

Le ménage, QUEL PLAISIR !!??

Observe ce que fait Arnaud et imagine pourquoi.

Sans faute !!

Enlever la poussière x
Ranger le salon
Faire la vaisselle x
Débarrasser la table x
Nettoyer les vitres x
Arroser les plantes
Faire la lessive x
Étendre le linge x
Repasser le pantalon gris x
Descendre la poubelle
Acheter les ingrédients « Tartiflette »
Balayer x
Faire le lit
Passer l'aspirateur

Écoute le message reçu par Arnaud sur son répondeur. Qu'est-ce qui s'est passé ?

C'est LA VIE...

 Écoute et observe l'illustration. Réponds aux questions. Ensuite, lis les dialogues et vérifie tes réponses.

SITUATION 1

a) Qu'est-ce que Médor a fait ?
b) Que dit Mme de Lachandelière pour défendre son chien ?
c) Pourquoi la voisine est-elle sûre de ce qu'elle dit ?
d) Quelles expressions la voisine utilise-t-elle pour montrer son indignation ? Et Mme de Lachandelière ?

SITUATION 2

a) Quel est le problème de ce monsieur ? À qui téléphone-t-il ?
b) Que dit Martine ?
c) Finalement, où est le pull ?

SITUATION 3

a) Pourquoi se disputent-ils ?
b) Quels arguments Julie utilise-t-elle ?
c) Quelles insultes entends-tu ?
d) Est-ce que la mère intervient dans la dispute ? Justifie ta réponse.

2 Canevas : jouez la scène.

Tu es injustement accusé d'un incident désagréable. Tu te défends en donnant des arguments valables.

3 Canevas : jouez la scène.

Tu ne trouves pas une de tes affaires. Tu accuses ton frère / ta sœur. Vous vous disputez. Trouve une fin heureuse à la situation.

1
- ● Mme de Lachandelière, c'est la troisième fois cette semaine que votre chien a fait ses besoins sur mon paillasson ! C'est inadmissible !!
- ■ Médor ? Ah non, vous vous trompez, ce n'est pas lui qui a fait ça !! Comment osez-vous me dire ça !
- ● Je vous le dis parce que j'en suis sûre, cette fois, je l'ai vu !
- ■ Vous plaisantez, j'espère ! Médor est un chien très propre et très bien élevé !

2
- ● Où est mon pull noir ? Mais, où est mon pull ? Il était là ce matin... (*Il téléphone.*) Martine !!! T'as pas vu mon pull ? [...] Comment « lequel » ? Le pull noir que j'ai acheté chez Gouvais. Il n'est plus dans mon armoire ! [...] Oui, j'ai bien cherché. [...] Oui, tout à fait ! [...] Absolument pas ! Il ne peut pas être dans la machine à laver, je l'ai acheté hier...
- ■ Bonsoir, papa !
- ● Mon pull !!!

3

- ● Les enfants ! Mettez la table ! Il est déjà huit heures... Victor ! Julie !
- ■ C'est à lui de la mettre... hein... moi, je l'ai mise hier.
- ◆ C'est pas vrai ! Qu'est-ce qu'elle est menteuse !! T'as vraiment pas de mémoire... hein ?
- ■ C'est toi qui as le cerveau ramolli, mon petit !
- ● Bon, pendant que vous vous disputez, mettez le couvert et servez-vous, hein ? Je dois être à 8 heures et quart chez Prosper... Je rentrerai vers minuit. Au revoir ! Ne vous couchez pas trop tard !

EXPRESSIONS POUR...

Exprimer la certitude

- ● Je vous le dis parce que j'en suis sûre.
- ● Oui, tout à fait !
- ● Absolument pas !
- ● C'est pas vrai !
- ● Bien sûr !
- ● C'est évident !

Se défendre d'une accusation

- ● Ce n'est pas lui qui a…
- ● Ce n'est pas vrai !
- ● Vous vous trompez.
- ● C'est faux.
- ● Qu'est-ce qu'il / elle est menteur(euse) !
- ● Ce n'est pas ma faute.
- ● Comment osez-vous me dire ça ?
- ● Vous plaisantez, j'espère.
- ● C'est inadmissible !

Ce qui est grossier, ce qui l'est moins...

Pour chacune des pratiques suivantes, dites-moi s'il s'agit, selon vous, de quelque chose de grossier...

	Oui	Non	N.S.P.	Total
Cracher dans la rue	95	5	0	100
Ne pas offrir une place assise dans un bus à une personne âgée	90	8	2	100
Doubler les gens dans une file d'attente	90	9	1	100
Jeter des papiers par terre	89	10	1	100
Laisser son chien faire ses besoins sur un trottoir	88	11	1	100
Dire des gros mots	86	13	1	100
Allumer une cigarette en public sans demander l'avis des gens	80	19	1	100
Étaler sa richesse dans une conversation	76	23	1	100
Ne pas tenir la porte à une dame	76	23	1	100
Téléphoner depuis son portable dans un lieu public fermé	63	34	3	100
Faire remarquer à quelqu'un qu'il a grossi	60	38	2	100
Laisser une femme payer son repas au restaurant	43	53	4	100
Passer chez quelqu'un sans prévenir	42	54	4	100
Parler de ses problèmes de santé	17	80	3	100

Enquête BVA réalisée pour le magazine *Quo*, Nº15.

GABRIELLA

par **Claude Lapointe,** planche parue dans Phosphore, 1998.

1 Lis la B.D.

1) Trouve les expressions équivalentes à :
  a) T'as trouvé un travail ?
  b) Obtenir une faveur pour quelqu'un.
  c) Génial !!!
  d) Laisse-moi tranquille !
  e) Elle t'a beaucoup plu !

2) Dites autrement.
  a) « Il faut qu'elle me dise un mot. »
  b) « Il faut que je la frôle. »

3) Quel proverbe illustre le mieux cette histoire ?
  Mieux vaut tard que jamais. Chacun prend son plaisir où il le trouve. Tous les goûts sont dans la nature.

FORMATION ET EMPLOIS DU SUBJONCTIF

Présent de l'indicatif	Imparfait	Présent du subjontif
je prends	je prenais	(que) je **prenne**
tu prends	tu prenais	(que) tu **prennes**
il / elle / on prend	il / elle / on prenait	(qu')il / elle / on **prenne**
nous prenons	nous **prenions**	(que) nous **prenions**
vous prenez	vous **preniez**	(que) vous **preniez**
ils / elles **prennent**	ils / elles prenaient	(qu')ils / elles **prennent**

a) Observe et établis des relations entre ces trois temps. À quoi correspondent le radical et les terminaisons du présent du subjonctif ?

b) Déduis / retrouve le subjonctif des verbes *écouter, dormir, réussir, comprendre* et *recevoir*.

Observe.

Je veux que tu rentres **à 4 h.**
Il vaut mieux que vous restiez**.**
Il faut que je parte**.**
Je souhaiterais qu'elle vienne**.**
J'aimerais que tu sois **ici.**
Il ne faut pas que vous acceptiez**.**
Il est probable qu'il soit malade**.**

c) Lesquelles de ces expressions expriment un souhait, un ordre, une obligation, un conseil ou une probabilité ?

2 Relisez la B.D. Imaginez...

1) Les pensées de Gabriella avant le match. *Il faut que je...*
2) Les conseils que donne un copain à Trébor. *Il vaut mieux que tu...*

3 À toi d'écrire.

Réponds à une lettre de tes amis qui veulent à tout prix se mettre en contact avec quelqu'un de célèbre. Donne-leur des conseils et des recommandations.

AUTRES VERBES AU SUBJONCTIF IRRÉGULIER

Avoir	Être	Verbes irréguliers au subjonctif.
(que) **j'aie**	(que) **je sois**	faire : (que) **je fasse**, (que) **nous fassions**...
(que) **tu aies**	(que) **tu sois**	aller : (que) **j'aille**, (que) **nous allions**...
(qu') **il ait**	(qu') **elle soit**	vouloir : (que) **je veuille**, (que) **nous voulions**...
(que) **nous ayons**	(que) **nous soyons**	pouvoir : (que) **je puisse**, (que) **nous puissions**...
(que) **vous ayez**	(que) **vous soyez**	
(qu') **elles aient**	(qu') **ils soient**	

Complainte de R.T.M.

JE M'APPELLE R.T.M. ET JE SUIS
SPÉCIALEMENT PROGRAMMÉ POUR FAIRE LE
MÉNAGE CHEZ LES HUMAINS.
C'EST MOI QUI FAIS LA LESSIVE.
C'EST MOI QUI FAIS LA VAISSELLE.
C'EST MOI QUI PASSE L'ASPIRATEUR.
C'EST À MOI AUSSI DE REPASSER.
DE BALAYER, D'ENLEVER LA POUSSIÈRE.
JE SAIS QUE POUR LES HUMAINS
JE NE SUIS QU'UNE MACHINE SANS ÂGE
QUI SIMPLEMENT FAIT LE MÉNAGE.
ILS NE SAVENT PAS QUE J'AI BESOIN D'AFFECTION,
QUE JE ME POSE DES QUESTIONS.
NOUS NE PARLONS PAS LE MÊME LANGAGE.
C'EST DOMMAGE...

1 **Écoute et lis.** Réponds aux questions.

1) Quel est le rôle de R.T.M. chez les humains ?
2) De quoi se plaint R.T.M. ?

2 **Observe.** Dans quelles structures du texte retrouve-t-on le pronom tonique *moi* ?

3 **Sincèrement.** Chez toi...

1) C'est à qui de repasser, de balayer, de faire la cuisine... ?
2) Qui ne fait jamais rien ? Explique.

4 À toi d'écrire ! Rédige ta complainte sur ce sujet ou sur un autre.

⭐ **LA RESTRICTION**

Je **ne** suis **qu**'une machine sans âge.
NE... QUE = SEULEMENT

LA MISE EN RELIEF

	moi		fais	
	toi		fais	
	lui / elle		fait	
C'est	nous	qui	faisons	la lessive.
	vous		faites	
	eux / elles		font	

	moi			
	toi			
	lui / elle			
C'est à	nous	de	faire	les courses.
	vous			
	eux / elles			

a) Quels sont les pronoms personnels utilisés dans ces exemples ?
b) Quelles structures utilise-t-on pour mettre en relief la personne qui réalise une action ?
c) De ces structures, laquelle indique une obligation ?

3

J'en ai assez

Écoute et chante.

Toute la journée
J'entends :

« Où tu vas ? D'où tu viens ?
Fais pas ci, fais pas ça.
Ne reviens pas trop tard,
Ne t'asseois pas comme ça.
Qu'est-ce que c'est, tout ce bruit ?
Ne ris pas ! Sois polie ! »

« Coupe-toi les cheveux.
Ne les coupe pas tant.
Qu'est-ce t'as fait à tes yeux ?
Ne mets pas ces vêtements.

Que diront les gens… ? »

Et alors…

Que veux-tu que je fasse ?
Où veux-tu que j'aille ?
Par où faut-il que je passe ?
Pourquoi faut pas que je bâille ?

Tu ne penses pas que je puisse
Avoir une opinion.
Tu ne penses pas que je puisse
Prendre une décision.

4
5
6
7

J'en ai assez…

Pas facile à dire !

• L'arrêt le plus proche, l'arrêt le plus proche…
• Panier, piano, panier, piano…
• Blé brûlé, blé brûlé…
• Six slips sèchent au soleil.
**Quels mots tu connais avec
le son [e] ?** *Exemple : blé.*
**Quels mots tu connais avec
le son [ɛ] ?** *Exemple : arrêt.*

Échelles de sons

Amuse-toi ! Monte et descends ces échelles de sons.

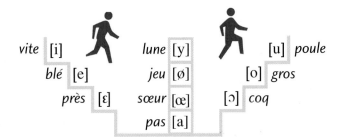

vite	[i]	lune	[y]		[u]	poule
blé	[e]	jeu	[ø]		[o]	gros
près	[ɛ]	sœur	[œ]	[ɔ]		coq
		pas	[a]			

LE TRIANGLE VOCALIQUE FRANÇAIS

1) **Est-ce la même chose dans ta langue ?**
2) **Monte et descends ces échelles
de sons avec d'autres mots
que tu connais.**
3) **Combien de voyelles
y a-t-il en français ?**

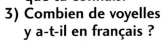

POUR FAIRE LE PORTRAIT D'UN OISEAU

À Elsa Henriquez

Peindre d'abord une cage
avec une porte ouverte
peindre ensuite
quelque chose de joli
quelque chose de simple
quelque chose de beau
quelque chose d'utile
pour l'oiseau
placer ensuite la toile contre un arbre
dans un jardin
dans un bois
ou dans une forêt
se cacher derrière l'arbre
sans rien dire
sans bouger...
Parfois l'oiseau arrive vite
mais il peut aussi bien mettre de longues années
avant de se décider
Ne pas se décourager
attendre
attendre s'il le faut pendant des années
la vitesse ou la lenteur de l'arrivée de l'oiseau
n'ayant aucun rapport
avec la réussite du tableau
Quand l'oiseau arrive
s'il arrive
observer le plus profond silence
attendre que l'oiseau entre dans la cage
et quand il est entré
fermer doucement la porte avec le pinceau
puis
effacer un à un tous les barreaux
en ayant soin de ne toucher aucune des plumes de l'oiseau
Faire ensuite le portrait de l'arbre
en choisissant la plus belle de ses branches
pour l'oiseau
peindre aussi le vert feuillage et la fraîcheur du vent
la poussière du soleil
et le bruit des bêtes de l'herbe dans la chaleur de l'été
et puis attendre que l'oiseau se décide à chanter
Si l'oiseau ne chante pas
c'est mauvais signe
signe que le tableau est mauvais
mais s'il chante c'est bon signe
signe que vous pouvez signer
Alors vous arrachez tout doucement
une des plumes de l'oiseau
et vous écrivez votre nom dans un coin du tableau.

Jacques Prévert, *Paroles* © Éditions GALLIMARD

1 Lecture silencieuse du poème.

1) Y a-t-il des mots nouveaux pour toi ? Lesquels ? Relis la phrase où ils se trouvent et cherche à en deviner le sens.

2) Dans le poème, il y a très peu de signes de ponctuation. Trouve les pauses logiques. Quelle ponctuation proposerais-tu ?

2 Lecture à haute voix.

Par petits groupes, lisez ce poème en fonction des pauses choisies, en donnant l'impression d'un lecteur unique.

3 Mode d'emploi poétique. Réponds.

1) Observe les verbes. Quel est le mode le plus utilisé ? Pourquoi l'auteur l'emploie-t-il ?

2) D'après l'auteur, quelles sont les différentes phases pour réussir à faire le portrait d'un oiseau ?

3) Qu'est-ce qui est surprenant dans ce poème ?

Projet Drôles d'appareils !

1 OBJECTIF
- Inventer un appareil, lui donner un nom et des fonctions originales.

2 IL FAUT...
- Des groupes de 2 ou 3 personnes.
- Des magazines, des revues, des catalogues d'articles de ménage.
- Des crayons, des feutres, des ciseaux, etc.

3 PRÉPARATION
- Choisissez les appareils ménagers qui vous attirent le plus par leur forme, leur couleur, le bruit qu'ils font...
  À quoi servent-ils ? Faites une liste de leurs fonctions.
  À quoi pourraient-ils servir aussi ?
  Notez sur une deuxième liste d'autres fonctions possibles.

- Mélangez le tout pour créer un nouvel appareil.

- Imaginez :
  Une illustration représentant l'appareil.
  Un nom qui rappelle les appareils qui le composent.
  Exemples : Caresseveil (casserole + réveil)
  Cabamix (cafetière + balai + mixer)

  Un texte où l'appareil lui-même dira comment il est, à quoi il sert, ce qu'il fait, ses états d'âme, etc.

  Attention ! Il faut obligatoirement utiliser :

  C'est moi qui...
  qui / que
  C'est à moi de...
  ne... que...

4 PRÉSENTATION
- Présentez votre invention au reste de la classe sur une feuille de couleur.

- Mettez toutes les feuilles ensemble et vous aurez un catalogue d'appareils ménagers originaux !

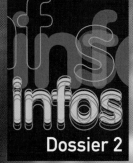

LA CITÉ DES SCIENCES

La Cité des Sciences et de l'Industrie est l'un des plus grands établissements de vulgarisation technique et scientifique au monde. À la différence d'un musée ordinaire, la Cité des Sciences vous permet d'être acteur et non simple spectateur. Piloter un avion, assister au développement du fœtus lors de la vie intra-utérine, entrer dans la chambre noire d'un appareil-photo ou encore voyager dans le corps humain sont autant d'activités qui vous sont proposées. Expositions, animations et conférences y occupent une place centrale.

D'autres moyens tels que la Médiathèque, la Cité des Métiers, Science Actualités, la Géode ou le Cinaxe permettent également de mieux comprendre le monde dans lequel nous vivons.

la Villette
Cité des Sciences et de l'Industrie

la cité

Cité des Sciences et de l'Industrie 30, avenue Corentin-Cariou 75930 Paris Cedex 19

La Serre, jardin du futur, consacrée aux biotechnologies végétales.

EXPLORA
Les expositions

Les expositions permanentes et temporaires d'Explora s'adressent à tous. Elles retracent l'aventure des sciences et des techniques en offrant les moyens de se repérer dans leur développement. Parce que la Cité des Sciences et de l'Industrie est un lieu vivant, en prise directe avec son temps, sa conception intègre un principe de renouvellement permanent. C'est ainsi que les expositions sont régulièrement renouvelées ou complétées, et ont une durée de vie moyenne de cinq ans. La grande exposition temporaire, très spectaculaire et originale dans sa mise en scène, constitue un événement majeur dans l'année.

Expositions permanentes

- Galerie sud : Espace, Océan, Environnement, Automobile, Aéronautique, la Serre, Énergie.
- Galerie nord : Mathématiques, Sons, Expressions et comportements, Informatique, Images.
- Balcon nord et Mezzanines : Jeux de lumière, Médecine, Biologie, Vie et santé, Roches et volcans, Étoiles et galaxies.

La Cité des enfants. À la découverte d'un studio de télévision.

LA CITÉ DES ENFANTS

Deux expositions permanentes et une temporaire

Lieu d'apprentissage, de découverte active et d'échanges, la Cité des enfants propose un premier contact avec les sciences et les techniques.

TECHNO CITÉ

Un espace permanent pour les jeunes

Des manipulations pour initier les jeunes et modifier le regard qu'ils portent sur la technologie, donner le goût d'observer, de comprendre, d'expérimenter avec des objets réels.

Thèmes proposés :

Mise au point d'un prototype. Techniques de fabrication. Des mécanismes en mouvement. Concevoir un logiciel. Capteurs et automatismes.

Techno cité. Des mécanismes en mouvement.

DES LIEUX POUR SE DOCUMENTER

Après avoir visité une exposition, pour se documenter sur un thème, approfondir un sujet d'actualité ou s'informer sur les filières professionnelles, d'autres espaces s'offrent au visiteur : la Médiathèque et ses collections de livres, ses audiovisuels, ses logiciels éducatifs, ses cédéroms et la Salle actualités ; la Cité des métiers et ses cinq pôles d'information.

Bibliothèque multimédia.

AUTRES INSTALLATIONS

La Géode, avec son écran hémisphérique de 1000 m², le Cinaxe, une salle de cinéma qui bouge. L'Argonaute, un vrai sous-marin de chasse qui se visite avec un casque baladeur.

Questions :

1) Où se trouve la Cité des Sciences ? Quelle est sa mission ?
2) Quels aspects de la science et de la technique peut-on connaître le plus à fond ?
3) Ce type de musée vous paraît-il intéressant ? Pourquoi ?
4) Quels genres de visiteurs peut-on rencontrer à la Cité ?
5) Quelles sont les différentes possibilités d'auto-documentation offertes par la Cité ?
6) Quel espace de la Cité aimeriez-vous visiter ? Pourquoi ?

Défendre quelqu'un d'une accusation.

1 Ta voisine accuse ton chien de lui avoir volé un beau bifteck. Tu le défends et tu démontres qu'il est innocent.

> ▸ Expressions pour se défendre d'une accusation.
> ▸ *C'est moi qui... C'est à moi de...*

Approuver ou désapprouver.

2 Réagis à ces affirmations :

1) « Tous les élèves sont idiots. »
2) « Tous les profs sont fantastiques. »
3) « À l'école, on se repose bien. »
4) « Le français est hyperfacile. »
5) « Les voyages en France sont nécessaires. »

> ▸ Expressions pour donner son opinion, manifester une attitude.

Faire des recommandations.

3 Fais des recommandations à ton / ta meilleur(e) ami(e) pour bien finir le trimestre.

> ▸ *Il vaut mieux que... / Il ne faut pas que...* + subjonctif

Donner des ordres.

4 Transforme les recommandations de l'exercice précédent en ordres.

> ▸ *Je veux que... / Il faut que...* + subjonctif

Exprimer des souhaits.

5 Formule quelques souhaits pour tes prochaines vacances.

> ▸ *Je souhaiterais que... J'aimerais que...* + subjonctif

Parler des obligations ménagères.

6 Marine est une femme d'aujourd'hui, PDG d'une grande entreprise, mais...

1) Qu'est-ce qu'il faut qu'elle fasse quand elle rentre chez elle ?

2) Quelles sont les tâches que tu trouves les plus / les moins désagréables ?

3) Et toi, que faut-il que tu fasses à la maison ?

> ▸ *Il faut que...* + subjonctif

JUNIOR MAGAZINE

doSSier 3 Spirale

À découvrir dans ce magazine l'endroit exact où l'on réutilise :
* le subjonctif
* les expressions pour exprimer l'obligation, le souhait, le désir, la volonté
* le discours indirect

SOMMAIRE :

DOCUMENT PHOTO
Une image qui donne envie de parler.

ÉCO-BRÈVES
Des nouvelles qui nous font réfléchir sur notre environnement.

LES BONNES IDÉES
Petits gestes simples pour de grandes solutions.

DÉBAT
Être écolo, mode ou nécessité ?

COURRIER DES LECTEURS
Des lettres de jeunes qui nous parlent de leurs rêves, de leurs souhaits.

B.D. : GASTON LAGAFFE
Une bonne idée " ÉCOLO ".

Observe la photo :
situe ces personnages.
Imagine leurs conditions de vie.
Fais parler cette femme de ses
obligations quotidiennes.
Quels peuvent être ses
attentes et ses désirs ?

ÉCO-BRÈVES

SOS Eau !

Combien de litres d'eau consommez-vous chaque jour chez vous ?

Douche :	60 à 80 litres par personne.
Bain :	120 litres par personne.
Vaisselle :	40 litres en machine, 20 litres à la main.
Lave-linge :	120 litres.
Chasse d'eau :	10 à 12 litres.

5 Juin

L'environnement à l'honneur

C'est la journée mondiale de l'environnement. Faites un petit geste écolo de plus.

2050 verra la fin de la forêt d'Amazonie, au rythme actuel de la déforestation. Par effet de dominos, les spécialistes prévoient des modifications climatiques sur toute la planète.

Le datura raffole du nucléaire

Des scientifiques ont découvert qu'une plante toxique pour l'homme, le datura, est peut-être capable de « digérer » les déchets radioactifs.

Déchets, la poubelle est pleine !

Je jette, tu tries, elle recycle, nous polluons, vous payez, ils récupèrent... Dans cette partie du monde où règne le gaspillage, les déchets se conjuguent à toutes les personnes. Nous produisons environ un kilo de déchets par jour et par personne. Mais s'en débarrasser n'est pas facile. Sauf pour les artistes du *Récup'art,* qui profitent gaiement de tous les déchets de la société de consommation.

OGM : on verra bien...

Les Organismes Génétiquement Modifiés, sont sur le marché et dans nos assiettes. On ignore encore tout de leurs effets à long terme. Bien que l'indication « contient des OGM » soit obligatoire en France, nous en mangeons sans le savoir. À qui la faute ? Aux additifs, ces redoutables agents subversifs. Qui prendra la peine de veiller à ce que la lécithine (E 322) ne provienne pas du soja, du tournesol ou du colza transgéniques ?

Saviez-vous que...

Mexico est la ville la plus polluée du monde ? Le fait de respirer une journée en plein trafic équivaut à fumer 40 cigarettes ! Les autorités ont installé des distributeurs d'air pur dans les rues, qui malheureusement ne sont pas gratuits !

Quelle est la nouvelle que tu trouves la plus surprenante ? Pourquoi ?

PETITS GESTES SIMPLES POUR DE GRANDES SOLUTIONS

Pour économiser de l'énergie, recycler et ne pas gaspiller, il faudrait…

1. qu'on éteigne l'ordinateur chaque fois qu'on quitte le bureau.
2. qu'on écrive avec un stylo plume plutôt qu'avec un stylo à bille.
3. qu'on ferme le robinet quand on se brosse les dents.
4. qu'on mette un pull pour ne pas allumer le chauffage.
5. qu'on réfléchisse à ce qu'on va prendre avant d'ouvrir le frigo.
6. qu'on choisisse des piles « vertes » et qu'on les dépose après dans le collecteur correspondant.
7. qu'on prenne un panier pour éviter les sacs en plastique.
8. qu'on achète les aérosols sans CFC.
9. qu'on ne jette aucun papier par terre.
10. qu'on se déplace à pied ou en vélo plutôt qu'en moto.
11. qu'on ramasse les crottes de chien.
12. qu'on utilise le moins possible le portable.
13. qu'on ne consomme pas de produits avec des OGM.
14. qu'on introduise une bouteille d'eau dans la chasse pour ne pas consommer autant.
15. qu'on n'écoute pas la musique trop fort.

Que feras-tu à partir de maintenant ?

1. Parmi ces gestes utiles, lesquels as-tu l'habitude de faire ?

2. Trouve 10 autres idées pour ne pas gaspiller les ressources de la terre.

3. Fabriquez à plusieurs le décalogue de la classe 100 % écolo.

DÉBAT : Être écolo, mode ou nécessité ?

Courrier des lecteurs : Avez-vous un rêve à réaliser ?

> « Des rêves, j'en ai plein la tête, mais celui qui me tient le plus à cœur est de sauver les baleines. Ces animaux représentent la liberté et le rêve. On les chasse sans se rendre compte qu'ainsi on détruit l'écosystème. Je voudrais que l'harmonie entre les baleines et les hommes renaisse un jour. »
>
> *Un fidèle lecteur*

> « Moi, je voudrais devenir égyptologue ou archéologue pour découvrir les civilisations disparues. Mais j'ai un autre rêve, avoir des chevaux, ma passion ! Je ferais tout pour réaliser un de mes deux rêves ! »
>
> **Mélanie,** 14 ans

Et vous, quel est votre rêve secret ?

> « Moi, j'en ai un : c'est de posséder un rapace et j'espère que j'en aurai un un jour. »
> **Nicolas**

> « Moi, je rêve de changer le monde ! J'aimerais que tout soit différent… que les guerres, la pollution, la drogue, les maladies graves et la violence disparaissent. »
>
> **Vanessa,** 15 ans

GASTON LAGAFFE

Gaston a trouvé une solution pour résoudre le problème de la pollution. Rapporte les explications qu'il donne à son copain.

- ▶ Tu reconstitues un cambriolage à partir de conversations et d'un fait divers.
- ▶ Tu fais des portraits-robots.
- ▶ Tu accordes les participes passés avec *avoir*.
- ▶ Tu racontes des événements au passé.
- ▶ Tu fais claquer et frotter les consonnes.

- ▶ Tu indiques un choix à l'aide des pronoms démonstratifs.
- ▶ Tu lis un conte qui fait sourire et réfléchir.
- ▶ Tu t'informes sur le trafic d'espèces animales et végétales.
- ▶ Tu évoques avec toute la classe la vie de vos grands-parents à votre âge.

Portraits-ROBOTS

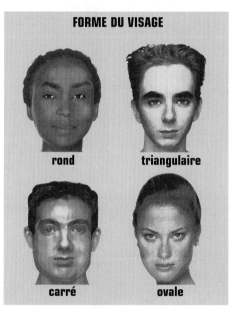

FORME DU VISAGE

rond   triangulaire

carré   ovale

FRONT

large

étroit

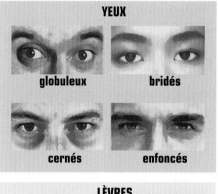

YEUX

globuleux   bridés

cernés   enfoncés

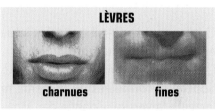

LÈVRES

charnues   fines

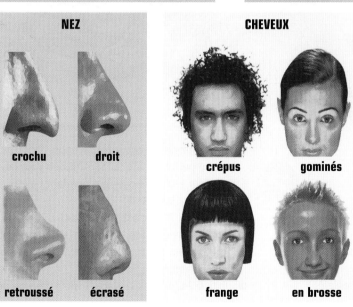

NEZ

crochu   droit

retroussé   écrasé

CHEVEUX

crépus   gominés

frange   en brosse

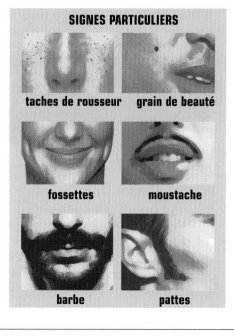

SIGNES PARTICULIERS

taches de rousseur   grain de beauté

fossettes   moustache

barbe   pattes

 Écoute et dessine le portrait-robot du suspect.

Cambriolage MANQUÉ

1 **Observe l'illustration et lis le titre.** D'après toi, qu'est-ce qui s'est passé ? Pourquoi ?

2 **Écoute.** Réponds aux questions. Lis les dialogues et vérifie tes réponses.

SITUATION 1

a) À qui Mme Guiniers téléphone-t-elle ?
b) Pourquoi est-elle affolée ?
c) Que doit-elle faire ?

SITUATION 2

a) De qui ces dames parlent-elles ?
b) Qu'est-ce qui est arrivé à leur voisine ?
c) Pourquoi le voleur a-t-il eu peur ?

3 **Lis le fait divers.** Réponds.

1) Quel rapport y a-t-il entre les situations 1 et 2 et le fait divers du journal ?
2) Quelles informations se répètent ?
3) Sont-elles formulées de la même manière ?
4) Imagine la version donnée par Mme Guiniers à la police et / ou la version du voleur.

1
● Police, bonjour...
■ Au secours, venez vite s'il vous plaît !
● Calmez-vous, madame. Qu'est-ce qui se passe ?
■ Il y a un voleur... un voleur... qui est entré chez moi, il est là, par terre. Il ne bouge pas... Je ne sais pas s'il est mort. Je ne sais pas quoi faire !!!
● Tranquillisez-vous, madame. Quelle est votre adresse ?
■ Avenue Félix Faure... euh... numéro 110.
● Bon, on sera chez vous dans 5 minutes. Surtout, ne touchez à rien !

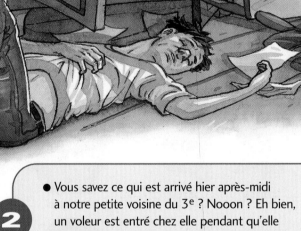

2
● Vous savez ce qui est arrivé hier après-midi à notre petite voisine du 3ᵉ ? Nooon ? Eh bien, un voleur est entré chez elle pendant qu'elle était sur sa terrasse !
■ Mon Dieu ! Mais c'est terrible, ça !
● Oui, la pauvre petite... Quand elle a entendu la porte qui s'ouvrait, elle a couru s'enfermer dans l'armoire de sa chambre !
■ Oh là là ! C'est pas croyable ! Elle a dû avoir une peur bleue !
● Oui, mais la peur bleue, c'est surtout le voleur qui l'a eue... Tenez, c'est même dans le journal !

Vᵉ ARRONDISSEMENT

Cambriolage manqué

Sauvée par un masque à l'argile verte

Vendredi matin, un cambrioleur s'est introduit dans l'appartement de Mme Anne Guiniers, alors que celle-ci était sur sa terrasse. Terrorisée par la présence du voleur, la jeune femme s'est cachée dans l'armoire de sa chambre.

Comme le cambrioleur se croyait seul dans l'appartement, il fouillait tranquillement tous les meubles. Quand il a ouvert l'armoire où était cachée Mme Guiniers, sa frayeur a été telle qu'il a eu une crise cardiaque.

Frayeur compréhensible si l'on pense qu'Anne Guiniers avait le visage enduit d'un masque hydratant à l'argile verte qui lui donnait l'air d'un monstre.

Le cambrioleur, actuellement hors de danger, se remet lentement de ses émotions à l'hôpital Roosevelt avant d'être conduit devant le juge.

EXPRESSIONS POUR...

Rassurer quelqu'un
- Calmez-vous.
- Tranquillisez-vous.
- Ne vous inquiétez pas.
- N'ayez pas peur.

Demander de l'aide
- Au secours !
- Venez vite !
- À l'aide !
- Je ne sais pas quoi faire.

Manifester sa surprise
- C'est pas croyable !
- Ce n'est pas possible.
- C'est terrible, ça !

- C'est étonnant !
- C'est surprenant !
- Quoi ?
- Comment ?

Annoncer un événement à quelqu'un
- Tu ne sais pas la nouvelle ?
- Vous savez ce qui est arrivé ?
- Saviez-vous que... ?
- Vous êtes au courant de... ?

 Canevas : jouez la scène.

 Un(e) de tes meilleur(e)s copains / copines a un gros problème. Tu le / la rassures et lui proposes quelques solutions.

 Canevas : jouez la scène.

 Un(e) de tes ami(e)s te raconte un tas de potins. Tu n'es pas très au courant de ces histoires et tu manifestes ta surprise.

Enquête POLICIÈRE

5 MILLIONS ONT DISPARU À LA SUITE D'UN HOLD-UP COMMIS À LA BANQUE NATIONALE Bd. RASPAIL

La police interroge les gens du quartier.

1 **Les témoins.** Écoute et réponds.

1) Qui sont les deux témoins ?
2) Pourquoi le 1er témoin a-t-il remarqué un de ses clients ?
3) Comment était-il ?
4) Et le 2e témoin, qu'a-t-il remarqué de bizarre ?
5) Quelles ont été ses conclusions ?
6) Que faisait l'homme en question ?
7) Comment était-il ?
8) Les 2 personnages décrits ont-ils des points en commun ? Lesquels ?

Je l'ai remarqué parce qu'il avait l'air de surveiller quelqu'un. J'ai même pensé que c'était un détective privé ou quelqu'un de chez vous. Il commençait par une petite promenade, et quand il avait fait le tour de la place, il se mettait toujours ici, vous voyez, contre le lampadaire...

Il ouvrait son journal mais on voyait bien qu'il ne le lisait pas, il tournait les pages sans les regarder et quand il avait fini, il recommençait ! Un jour, il ne s'est même pas rendu compte qu'il le tenait à l'envers, son journal ! Au fait, je ne l'ai plus revu depuis le vol !

2 À toi d'écrire ! Rédige le rapport de l'inspecteur après avoir écouté les 2 témoignages.

LE PLUS-QUE-PARFAIT

Observe les verbes suivants au plus-que-parfait.

J'avais fini.	Vous aviez dansé.
Elles étaient allées là.	Ils s'étaient trompés.

a) **Comment se forme le plus-que-parfait ?**
b) **Conjugue les verbes suivants au plus-que-parfait :** *chanter, se laver, travailler, partir.*

POUR RACONTER AU PASSÉ

On utilise :

LE PLUS-QUE-PARFAIT	L'IMPARFAIT	LE PASSÉ COMPOSÉ
↓	↓	↓
pour	pour	pour

Indiquer une action antérieure à une autre dans le passé (à l'imparfait ou au passé composé).

Quand il avait fini, il recommençait.

La concierge a décrit l'homme qu'elle avait vu.

1) Faire des descriptions.
2) Évoquer des habitudes.

Après : Tous les matins...
D'habitude...

3) Planter le décor, présenter la situation.

Après : Avant...
À cette époque...
Pendant que...

1) Rapporter les faits principaux survenus à un moment donné.

Après : Un matin... Hier...
Tout à coup...

2) Indiquer la succession des faits et actions.

Après : D'abord... Ensuite...
Puis...

- Pouvez-vous me dire ce que vous avez fait vendredi dernier de 9 h du matin à midi ?
- Ben... Vendredi matin ? Euh... Je ne sais pas, moi... Ah, oui ! Je me suis levé très tôt parce que je devais voir un type à 10 h... pour un travail.
- Comment s'appelle ce monsieur ?
- Philippe Malot.
- Adresse ?
- 40 rue de la Poste, dans le XVe.
- Vous êtes allé à votre rendez-vous en voiture ?
- Non, je ne l'ai pas prise... on ne peut jamais se garer !
- Combien de temps a duré votre entretien ?
- Une heure à peu près... euh...
- Et après, quel a été votre emploi du temps ?
- Après ? Ben... j'ai fait un tour... dans le quartier. Mais pourquoi toutes ces questions ?
- Elles sont à vous, ces clés ?
- Ça alors ! C'est les clés de ma voiture !!! Où les avez-vous trouvées ???

 Interrogatoire. Écoute et lis. Réponds aux questions.

1) Qui parle ? Où a lieu cet interrogatoire ?
2) Que faisait le suspect à 10 h ?
3) Pourquoi est-il interrogé ?

 Imaginez la suite de l'interrogatoire. Deux versions sont possibles.

1) Le suspect est innocent.
2) Le suspect a participé au hold-up.

L'ACCORD DU PARTICIPE PASSÉ AVEC *AVOIR*

Observe :

Les clés de ma voiture !!! Où les avez-vous trouvées ?

Tu as acheté les CD que je t'ai recommandés ?

Vous avez pris votre voiture ? Non, je ne l'ai pas prise.

Elle a vu ce film ? Non, elle ne l'a pas encore vu.

a) Compare les terminaisons des participes passés. Lesquels s'accordent ? Avec quels mots ? Quelle place et quelle fonction ces mots occupent-ils dans la phrase ?

b) Se passe-t-il la même chose quand le passé composé se forme avec l'auxiliaire *être* ?

mécanismes

CELUI-CI OU CELUI-LÀ ?

1 **Écoute la chanson.**

8

Quand je me lève tous les matins,
J'ai un grand dilemme vraiment inhumain.
Quel pied poser sur la descente de lit
Le gauche, le droit, celui-là ou celui-ci ?

Moi, je voulais un réveil-matin.
Il y en avait plein dans le magasin.
Je n'ai rien acheté.
C'est toujours comme ça.
Comment décider ? Celui-ci ou celui-là ?

Moi, je déteste prendre une décision.
J'ai la chair de poule et des palpitations.
À gauche, à droite, là-bas ou ici,
C'est pas facile, celle-là ou celle-ci ?

Même si je veux aller me balader,
C'est un problème, une calamité.
Lorsque je dois sortir de chez moi,
La rue à prendre est celle-ci ou celle-là ?

Refrains
J'ai un problème.
Je suis très indécis.
Celui-ci, celui-là.
Je ne vois pas
Comment me décider.
Celle-ci, celle-là.

Celui-ci ou celui-là,
Celle-ci ou celle-là.
C'est vraiment compliqué.

2 **Lis les paroles de cette chanson.**

1) Quel est le problème de la personne qui chante ? Quels exemples donne-t-elle pour l'expliquer ?
2) Que remplace *celui-ci*, *celui-là*, *celle-ci*, *celle-là* dans chaque strophe ?

3 **À vous !** Trouvez une façon originale de chanter cette chanson.

4 **Quelles situations quotidiennes te posent des problèmes de choix ?** Raconte.

LES PRONOMS DÉMONSTRATIFS

	Masc.	Fém.
Sing.	celui-ci / celui-là	celle-ci / celle-là
	celui de...	celle de...
	celui que...	celle que...
	celui qui...	celle qui...
Plur.	ceux-ci / ceux-là	celles-ci / celles-là
	ceux de...	celles de...
	ceux que...	celles que...
	ceux qui...	celles qui...

● **Quel réveil-matin ? Celui-ci ou celui-là ?**
■ **Celui de droite.**
■ **Celui que j'ai acheté.**
■ **Celui qui est sur la table.**

Cherche d'autres exemples au féminin et au pluriel.

5 **À toi d'écrire !** Ajoute 2 autres strophes à la chanson.

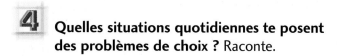

9

Oxygène

Écoute ce poème.

Il m'a donné de l'air
et de l'eau en silence ;
Il a mis du ciel clair
sur mon adolescence ;
Il a peint sur mon cœur
des graffiti de neige,
des nuages, des fleurs
et des oiseaux-manèges.

Il n'a rien demandé
en retour. Il m'a dit
qu'on doit savoir s'aider
quand on est des amis.

Jean-Yves Roy

Toutes les consonnes

1. Lis cette poésie à haute voix. Toutes les consonnes du français s'y trouvent sauf 2. Cherche-les.

2. Répète à haute voix, horizontalement ou verticalement, les séries de consonnes qui claquent et qui frottent.

consonnes qui claquent		
[p] papa	[t] tout	[k] kiosque
[b] bar	[d] donner	[g] gare

consonnes qui frottent		
[f] faire	[s] si	[ʃ] chat
[v] va	[z] maison	[ʒ] jour

3. Quelles autres consonnes françaises ne se classent pas dans ces tableaux ?

10
11
12

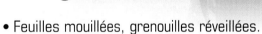 Pas facile à dire !

- Feuilles mouillées, grenouilles réveillées.

- Hier, il a essayé de voyager sans payer son billet.

- Ce millefeuille délicieux,
  Je le croque des yeux,
  Mais il y a une tarte aux groseilles
  Qui est une pure merveille.
  Ne regardez pas ailleurs,
  J'ai des gâteaux bien meilleurs.

Repère la semi-consonne [j]
Exemple: rien [Rjɛ̃].

Programme

Son père était psychologue, sa mère ingénieur en informatique. Ensemble, ils avaient créé un programme pour son éducation. Tout était prévu : le poids en grammes pour chaque ration d'épinards ; l'heure à laquelle il devait se coucher le samedi 3 juillet ; les baisers et les câlins auxquels il avait droit (2,1 baisers par jour en moyenne, 4,3 les jours de fête) ; la couleur des chaussettes qu'il porterait le jour de ses huit ans...

Tous les matins, l'ordinateur le réveillait en chantant un peu faux : « Réveille-toi, petit homme », puis lui annonçait le programme de la journée.

Il obéissait sans peine, suivait sans rechigner les instructions. Il était programmé pour ça, après tout. Une seule chose le gênait : de temps en temps, l'ordinateur annonçait : « Aujourd'hui, 16 h 32 : bêtise. »

Ses parents savaient qu'un enfant normal, parfois, fait des bêtises. « C'est inévitable, disaient-ils, et même indispensable à son équilibre. »

Lui, il avait horreur de ça. Pas tellement parce qu'ensuite, on le grondait. Il sentait bien que ses parents faisaient semblant de se fâcher et qu'ils étaient fiers, en réalité, quand il imaginait une bêtise originale. Mais, justement, c'était ça qui était difficile. Il n'avait pas d'imagination et devait se torturer la cervelle pour inventer, chaque fois, une bêtise nouvelle. Il avait électrifié la poignée de la porte d'entrée, un soir où ses parents avaient organisé une grande réception. Il avait lâché des piranhas dans la piscine, pendant que sa grand-mère se baignait. Il avait transformé le fauteuil de son instituteur en siège éjectable. Un jour, même, il avait piraté les ordinateurs qui commandent les feux rouges de la ville et provoqué des embouteillages monstres. Et bien d'autres choses encore.

Mais, maintenant, il était à court d'idées. Il ne savait vraiment plus quoi inventer. Alors, ce matin-là, quand l'ordinateur annonça : « Aujourd'hui, 7 h 28 : bêtise », il réfléchit désespérément. Et, juste à temps, il trouva la seule bêtise qui lui restait à faire.

Il s'assit devant l'ordinateur, appuya sur toutes les touches, donna des milliers d'instructions et détruisit, à tout jamais, le programme qui l'éduquait.

© Éditions Milan : « Nouvelles Histoires pressées » de Bernard Friot. Zanzibar n° 88

1 **Lis le début des 4 premiers paragraphes.**

Que comprends-tu avec ces seules informations ?

2 **Lis le texte en entier.**

1) Qui est le personnage principal ? Cherche les mots qui font allusion à lui.
2) Quelle idée ses parents ont-ils eue pour son éducation ?
3) Comment l'ordinateur intervient-il dans sa vie ? Cite 3 de ses consignes.
4) Tu connais le mot « bêtise », utilisé 6 fois ? Quelles bêtises l'enfant a faites ?
5) Est-il toujours docile ? Justifie ta réponse.

3 **Observe les temps employés.**

1) Repère les verbes qui ne sont pas à l'imparfait dans les 2 derniers paragraphes. Expriment-ils une action présente, future ou passée ? Retrouve l'infinitif de chacun. Par quel temps tu peux les remplacer ?
2) Justifie l'emploi des différents temps dans le 5e paragraphe.

Projet C'était au temps de nos Grands-Parents...

1 OBJECTIF
Découvrir et raconter comment était la vie de tes grands-parents à ton âge.

SAIS-TU OÙ HABITAIENT TES GRANDS-PARENTS ? TRAVAILLAIENT-ILS ? ALLAIENT-ILS À L'ÉCOLE ?

Pour en savoir plus sur leur vie, utilise le questionnaire ci-contre.

2 QUESTIONNAIRE
Quand tes grands-parents avaient 15 ans...

1) Où habitaient-ils ?
2) Avec qui ?
3) Comment était leur maison ?
4) Allaient-ils à l'école ou non ? Comment ?
5) Leur école était comment ?
6) Qu'est-ce qu'ils faisaient à l'école ?
7) Comment étaient organisées les classes ?
8) Quelle était leur matière préférée ?
9) Étaient-ils bons étudiants ?
10) Travaillaient-ils ? Où ?
11) Combien gagnaient-ils ?
12) Que faisaient-ils de leur argent ?
13) Comment étaient-ils habillés, coiffés... ?
14) Comment se passaient leurs journées ?
15) Que faisaient-ils les jours de fête ?
16) Quels étaient leurs passe-temps ?
17) Quelles étaient leurs idoles ?
18) Quelle musique, quels spectacles, quels sports aimaient-ils ?
19) Ont-ils un souvenir particulier de cet âge ?

3 EXPOSITION
- Rédige une ou plusieurs informations concernant tes grands-parents.
- Illustre-la / les par une photo, un dessin.
- Affiche-la / les sur le panneau collectif qui sera installé dans la classe.

PÉRIODE :	VILLAGE	VILLE	GRANDE VILLE
1920-30	Mon grand-père paternel habitait dans une ferme et allait au village dans une charrette. *Julia*		Ma grand-mère maternelle travaillait dans une usine textile et allait à l'usine à bicyclette. *Marcos*
1931-40			

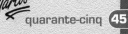

Le commerce illicite de faune et de flore :

Contribuez-vous à la solution ou à l'aggravation du problème ? Vous ne seriez pas le premier à devenir trafiquant sans le savoir.

LORS D'UN SÉJOUR À L'ÉTRANGER, RÉFLÉCHISSEZ BIEN AVANT D'ACHETER...

Ramener chez vous des pièces d'échecs en ivoire pourrait vous coûter plus cher que vos vacances...

...DE L'IVOIRE D'ÉLÉPHANT :

Bien que le commerce international de l'ivoire soit interdit depuis 1990, on trouve encore des objets sculptés en ivoire en vente sur les marchés africain et asiatique. Ne cédez pas à la tentation de ramener cet ivoire chez vous. C'est illégal et sanctionné par la loi.

Réfléchissez à deux fois avant de ramener des bijoux en écaille de tortue...

...DES OBJETS EN ÉCAILLE DE TORTUES MARINES :

Les objets fabriqués à partir de tortues marines, y compris les carapaces entières, les animaux naturalisés, les bijoux, les peignes et les lunettes de soleil, ne peuvent être introduits à l'intérieur de l'Union Européenne. Ces objets peuvent être saisis.

Certaines plantes n'ont pas leur place dans votre valise...

...DES CORAUX :

Les récifs coralliens constituent des écosystèmes fragiles dont dépendent une multitude d'espèces marines. Bon nombre de pays interdisent la récolte, la vente et l'exportation des coraux. Avant de ramener dans l'Union Européenne ces trésors marins, renseignez-vous sur les autorisations requises... faute de quoi, cela pourrait vous coûter plus cher que vos vacances...

Certaines plantes n'ont pas leur place dans votre valise...

...DES ESPÈCES VÉGÉTALES :

Le commerce des orchidées, des cycas, des cactées et d'un certain nombre d'autres plantes est strictement réglementé.
Seuls les spécimens reproduits en milieu artificiel peuvent être importés dans l'Union Européenne. Si vous ramenez une espèce protégée sans accomplir les formalités nécessaires, vous pouvez faire l'objet d'une action en justice.

Ne le privez pas de son compagnon en l'arrachant à la vie sauvage pour le ramener chez vous...

...DES ANIMAUX SAUVAGES VIVANTS :

Des animaux vivants tels que les perroquets et autres oiseaux, les singes, les serpents et les caméléons sont couramment vendus sur les marchés pour touristes. Réfléchissez bien avant de ramener un animal vivant à la maison.

Le commerce de certaines espèces est interdit, et, pour d'autres, vous devez disposer d'une autorisation. Renseignez-vous avant de partir, faute de quoi vous pourriez encourir de graves sanctions.

Commission Européenne

TRAFFIC
EUROPE

TRAFFIC est un programme commun du WWF (Fonds Mondial pour la Nature) et de l'IUCN (Union Mondiale pour la Nature) consacré à la surveillance du commerce d'espèces sauvages.

WWF 2000
THE LIVING PLANET CAMPAIGN

Campagne 2000 pour une Planète Vivante

L'EUROPE S'ENGAGE POUR LA DIVERSITÉ DE LA VIE SAUVAGE

Questions

1. D'où est tiré ce document ?
2. À qui est-il destiné ?
3. Quelle est sa finalité ?
4. « TRAFFIC-Europe », qu'est-ce que c'est ?
5. Quels sont les différents organismes qui participent à cette campagne ?
6. Depuis quand le commerce d'ivoire est-il interdit ?
7. Quelles espèces végétales protégées peuvent être importées dans l'Union Européenne ?
8. Que faut-il faire pour pouvoir ramener une espèce protégée ?
9. Qu'est-ce qui peut arriver si on n'accomplit pas ces formalités ? Cite des phrases du texte pour justifier ta réponse.
10. Est-ce que le commerce de tous les animaux sauvages est interdit ?
11. Quel(s) argument(s) on utilise dans cette campagne pour éviter le trafic d'espèces ?
12. Comment peux-tu contribuer à cette campagne ?

Faire le portrait de quelqu'un.

1 Décris un de ces personnages.
Ton copain / Ta copine devine qui c'est.
À ton avis, lequel a l'air le plus agressif,
le plus antipathique, le plus naïf... ?

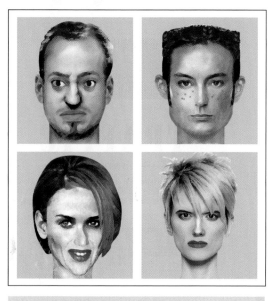

> ‣ Adjectifs de description
> ‣ Pronoms démonstratifs

Demander de l'aide.

2 Tu vois de la fumée qui sort par-dessous
la porte d'entrée de tes voisins.
Tu t'affoles et tu demandes de l'aide.

> ‣ Formules pour demander
> de l'aide

Parler d'un objet au passé sans le nommer.

3 Ton père ne trouve pas les clés de la
maison. Rappelle-lui les différents gestes
qu'il a faits, les clés à la main.

> ‣ Passé composé aux formes
> affirmative et négative
> ‣ Pronoms personnels

Désigner une chose sans la nommer.

4 Tu veux acheter un jean. Tu commentes avec
un(e) copain / copine les différents modèles
exposés dans la vitrine d'un magasin.

> ‣ Pronoms démonstratifs

Exprimer la cause.

5 Observe les illustrations et raconte ce qu'il a
fait pendant la matinée du dimanche.

Cause   Conséquence

> ‣ *Parce que, comme*

Raconter un événement passé et ses circonstances.

6 Informe tes camarades sur les circonstances
d'un événement curieux ou d'un fait
inhabituel ayant eu lieu dans ta classe
ou dans le lycée.

> ‣ L'imparfait, le passé composé et le
> plus-que-parfait

- Tu peux décrire en détail la forme et la fonction d'un objet.
- Tu écoutes la vie passionnante d'une chaussure.
- Tu manifestes des souhaits et des désirs.
- Tu racontes par écrit les souvenirs et les expériences d'un objet.
- Tu analyses une publicité et tu découvres les différents emplois du conditionnel.
- Tu lis un extrait d'une pièce de théâtre du XVIIe siècle.
- Tu compares différentes versions représentées en classe d'un extrait d'une pièce de théâtre.
- Tu lis des informations sur Molière et son théâtre.

Pour parler D'UN OBJET

EST-CE QU'IL FAUT LE BRANCHER ?

À quoi ça sert ?

C'est en plastique ?

Comment ça marche ?   Ça fait du bruit ?

ÇA PIQUE ?   C'est lourd ?

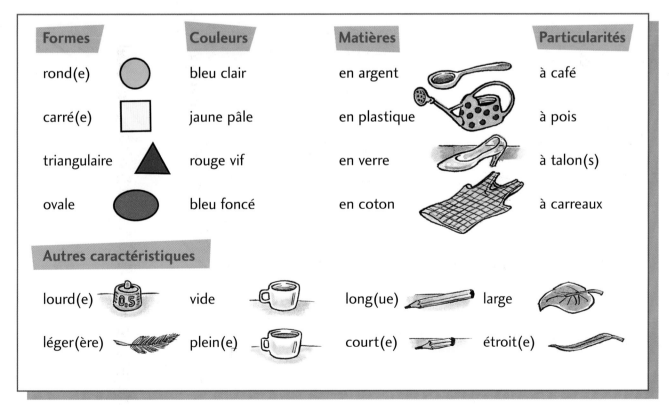

Formes		Couleurs	Matières		Particularités
rond(e)	⬤	bleu clair	en argent		à café
carré(e)	☐	jaune pâle	en plastique		à pois
triangulaire	▲	rouge vif	en verre		à talon(s)
ovale	⬭	bleu foncé	en coton		à carreaux

Autres caractéristiques

lourd(e)		vide		long(ue)		large	
léger(ère)		plein(e)		court(e)		étroit(e)	

Fais la description détaillée d'un objet de la vie quotidienne que tu aimes ou que tu détestes.

D5 situations

Ces objets qui ONT UNE ÂME

1 Écoute les propos de cette illustre « dame ».

Qui parle ? De quoi ? Où est-elle ?

Ooh ! Bonjour, cher public !... Vous avez quelques minutes à m'accorder ?
Voyez-vous, c'est pour moi un honneur d'appartenir à la collection du musée
du Théâtre de Paris... mais, je dois vous avouer que parfois je m'ennuie...
Je suis ici exposée comme un bijou car, mesdames et messieurs...
Je suis une chaussure célèbre !!
Autrefois, je chaussais le pied droit d'Armande Béjart ! La plus grande
comédienne de la troupe de Molière !! On disait d'elle qu'elle marchait avec
une élégance extrême, qu'elle dansait avec une grâce extraordinaire...
Mais toutes ces qualités, c'est à moi qu'elle les devait... oui ! À moi !!
Ah ! Je vous vois si intéressés que je vais tout vous raconter...
Je suis montée sur les planches l'année de ma naissance, en 1660...
ou en 1665 ? Je ne me rappelle plus très bien...
J'étais splendide... faite sur mesure... en satin rouge...
avec un pompon...
Ma vie était un tourbillon... Je connaissais tous les théâtres
de Paris et de la province...
Je savais toutes les pièces de Molière sur le bout des doigts :
Le Misanthrope, les Femmes Savantes, Tartuffe...
Je dois vous dire que je n'ai jamais eu de trou de mémoire !
Ce qui n'était pas le cas d'Armande ! Hummm...
Ah ! Je voudrais tellement faire de nouveau partie d'une
troupe de théâtre !!
Je serais sur scène, je brillerais de mille feux...
Les gens riraient, applaudiraient, pleureraient !
Ou pourquoi pas faire du cinéma... ??
Vous savez, je rêve souvent qu'un metteur en
scène s'adresse à moi... « Madame, accepteriez-
vous un rôle dans mon prochain film ? »
« Avec grand plaisir, quand commençons-nous ? »
Il n'y en aurait pas un parmi vous, par hasard ?

Chaussure portée
par Armande Béjart
(1642 ? - 1700)

2 Réécoute et lis.

1) Que sais-tu sur la vie passionnante de cette chaussure ?
2) Quelles expressions montrent qu'elle est en train de parler au public ?
3) Décris son aspect physique et son caractère.
4) Que pourrait-elle dire d'autre ?

5 **Description à la chaîne.** Choisissez un de ces objets et décrivez-le en ajoutant à tour de rôle une information supplémentaire.
Exemple : C'est un sac en cuir. C'est un sac en cuir vert foncé. C'est un sac en cuir vert foncé qui...

3 **Observe cette illustration pendant 30 secondes.** Ferme le livre. Quels sont les objets dont tu te souviens ?

6 **Canevas :** on t'invite à un dîner où tu n'as pas du tout envie d'aller. Tu déclines poliment l'invitation, mais la personne insiste...

4 **Trouve des points communs entre les différents objets.**
(couleurs, formes, matières...)

7 **À toi d'écrire !** Raconte les souvenirs et les expériences d'un objet de ton choix.

JE FERAIS N'IMPORTE QUOI POUR MON SR !

Pour mon SR, le scooter du champion du monde, je serais prêt à lécher du Velcro. Pour le double frein à disque, je battrais le record du monde du lancer de petit pois. Pour la nouvelle fourche, je jouerais au rami avec mamie. Pour le pot d'échappement serpentin, je laisserais ma petite soeur me couper les cheveux. Et pour son accélération canon, je deviendrais tatoueur de pitbull. De toute façon, pour un SR 50 Racing, le prix à payer n'a pas vraiment d'importance.
SR Racing. Pour les allumés.

Valentino Rossi, Champion du Monde 125 cc en 1997.

SR RACING.
Fait pour ceux qui savent y faire.

* Une sensation d'émerveillement.

1 Observe cette publicité.

1) Explique ce qui te frappe le plus.
2) Comment interprètes-tu la phrase en grosses lettres ? Et le mot SR ?
3) Sais-tu qui est ce personnage ? Comment ? Est-ce qu'il dit quelque chose ? Pourquoi l'a-t-on choisi pour cette pub ?
4) Dans le texte, une même structure se répète 5 fois. Laquelle ? Quelle sensation cette répétition produit-elle ?
5) Dans le texte, il y a des associations qui surprennent. Lesquelles et dans quel but ?
6) Le prix du scooter est-il décisif ?

2 Que feriez-vous pour obtenir un objet que vous désirez énormément ?

1) Sur le modèle de cette publicité, racontez ce que vous seriez capable de faire pour obtenir cet objet-là.
2) Imaginez les exploits qu'un(e) ami(e) serait capable de faire pour... Les autres doivent deviner de qui il s'agit.

3 Imagine la scène. Que lui dit-il ?

4 À toi d'écrire ! Invente une publicité dans le même style. Attention ! La présentation est importante.

LE CONDITIONNEL

Observe les verbes *couper* et *être*.

je couperais	je serais
tu couperais	tu serais
il / elle / on couperait	il / elle / on serait
nous couperions	nous serions
vous couperiez	vous seriez
ils / elles couperaient	elles / ils seraient

1) À quels temps connus le conditionnel te fait-il penser ?
2) Déduis la règle de formation du conditionnel de tous les verbes, réguliers et irréguliers.

QUELQUES EMPLOIS DU CONDITIONNEL

Réfléchis sur les emplois du conditionnel dans les cas suivants.

Je ferais n'importe quoi pour mon SR !
Je voudrais 3 kg de pommes de terre, SVP.
Pourrais-tu me prêter 6,7 € ?
On pourrait aller au cinéma ce soir.
Il voudrait t'inviter au théâtre.
Voudrais-tu venir dîner chez moi ce soir ?

a) Dans quels cas sert-il à formuler poliment une demande ?

b) Dans quel cas sert-il à exprimer un souhait ?

c) Dans lequel sert-il à annoncer des actions éventuelles ?

d) Dans lequel sert-il à faire une suggestion ?

e) Et dans lequel sert-il à inviter quelqu'un ?

Trouve d'autres exemples pour chaque emploi.

Maquillages DE RÊVE

Si tu veux te métamorphoser, maquille-toi...
Voici quelques idées pour réussir un beau maquillage.

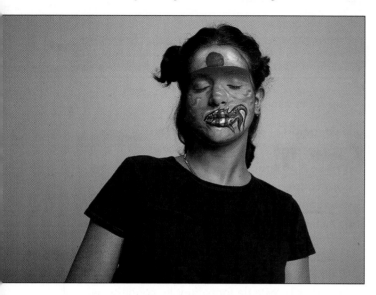

DE QUOI A-T-ON BESOIN ?

Pour réussir un bon maquillage, **tu as besoin...**
- d'une crème hydratante ;
- **de** maquillage de théâtre (ou de produits de maquillage ordinaires) ;
- **de** pinceaux, des gros et des fins ;
- **de** crayons gras.

COMMENT PROCÉDER ?

- **Tu dois tracer** la ligne d'horizon au-dessus des sourcils **et délimiter** le soleil.
- Ensuite, **il faut colorier** le soleil en rouge et en orange.
- Tu réaliseras le reste du ciel en un fondu de violet, orange et bleu.
- Tu peux aussi dessiner un ou deux nuages. Après, occupe-toi de l'océan : **Il faut que** l'eau **recouvre** tout le reste du visage : bleu plus foncé à l'horizon et plus clair vers le menton.
- Si tu veux donner du mouvement à l'eau, **il faut tracer** quelques petites vagues au pinceau blanc.
- **Pour que** la bouche **fasse** penser à un poisson, utilise des couleurs argentées, fluo, des paillettes...

 1 **Regarde la photo et lis le texte.** Réponds aux questions.

1) Quelles couleurs faut-il pour réaliser ce maquillage ?
   Exemple : Il faut du bleu,...
2) De quelles parties du visage parle-t-on ?
3) De quelles couleurs as-tu besoin pour le nez ? Et pour le front ?

★ LE BUT	L'OBLIGATION
	Il faut que + subj.
Pour + infinitif	Il faut + infinitif
Pour que + subj.	Devoir + infinitif

 LA NÉCESSITÉ

De quoi a-t-on besoin **pour se maquiller ?**
On a besoin de **crayons et d'imagination.**
Il faut **des crayons et de l'imagination.**

Avoir besoin de + **nom**   ⎫
                                    ⎬ + pour...
Il faut + **déterminant + nom**   ⎭

 2 **Observe les photos.** Fais des phrases.

*Exemple : **Si tu veux** donner du mouvement à l'eau, il **faut tracer** quelques petites vagues.*

3 À toi d'écrire ! Donne les indications nécessaires pour réaliser le maquillage ci-contre.

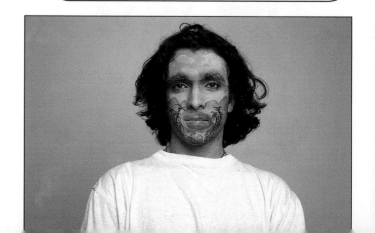

13

Caractère arc-en-ciel !

Écoute et chante !

Mon chef est un vrai sauvage.
Devant mes tatouages
Il devient vert de rage.

Comme il voit tout en noir,
Il dit même pas au revoir.

Il se fâche tout rouge
Quand il voit que je bouge.

Il est bleu de colère
Quand je m'asseois par terre.

Et quand je fais le singe,
Il est blanc comme un linge.

Refrain
Il m'en fait voir
De toutes les couleurs,
Ce râleur.

14

Pas facile à dire !

Écoute et lis.

Une grosse poule grasse
et un gros coq gras
croquent de gros radis roses.

Quels autres mots tu connais avec des consonnes doubles ?

Le bon Ton

Dis chaque phrase sur deux tons opposés.

*Exemple : Sérieux / Moqueur ;
Calme / Fâché ; Franc /
Hypocrite ; Courageux /
Peureux, etc.*

- Viens ici, j'ai quelque chose à te dire.
- J'adore votre chapeau.
- Vous avez oublié de boutonner votre chemise.
- Laisse-moi passer.

Boîte à rythmes

Écoute et répète ces mots.

stop stress smart stock snob slip

scooter spécial

station spatiale

spectacle scandaleux

 Écoute la boîte à rythmes et, avec ton voisin / ta voisine, dites à tour de rôle un de ces mots.

Le malade IMAGINAIRE

TOINETTE.	Donnez-moi votre *pouls*.
	Qui est votre médecin ?
ARGAN.	Monsieur Purgon.
TOINETTE.	Cet homme-là n'est *point écrit sur mes*
5	*tablettes* entre les grands médecins. De
	quoi dit-il que vous êtes malade ?
ARGAN.	Il dit que c'est du *foie*, et d'autres disent
	que c'est de la *rate*.
TOINETTE.	Ce sont tous des ignorants.
10	C'est du poumon que vous êtes malade.
ARGAN.	Du poumon ?
TOINETTE.	Oui. Que sentez-vous ?
ARGAN.	Je sens de temps en temps des douleurs
	de tête.
15 TOINETTE.	Justement, le poumon.
ARGAN.	Il me semble parfois que j'ai *un voile*
	devant les yeux.
TOINETTE.	Le poumon.
ARGAN.	J'ai quelquefois *des maux de cœur*.
20 TOINETTE.	Le poumon.
ARGAN.	Je sens parfois *des lassitudes* par tous
	les membres.
TOINETTE.	Le poumon.
ARGAN.	Et quelquefois il me prend des douleurs
25	dans le ventre comme si c'étaient des
	coliques.
TOINETTE.	Le poumon. Vous avez appétit à ce que
	vous mangez ?
ARGAN.	Oui, monsieur.
30 TOINETTE.	Le poumon. Vous aimez boire un peu de
	vin ?
ARGAN.	Oui, monsieur.
TOINETTE.	Le poumon. Il vous prend un petit
	sommeil après le repas, et vous êtes *bien*
35	*aise* de dormir ?
ARGAN.	Oui, monsieur.
TOINETTE.	Le poumon, le poumon, vous dis-je.
	Que vous *ordonne* votre médecin pour
	votre nourriture ?
40 ARGAN.	Il m'ordonne *du potage*.
TOINETTE.	Ignorant !
ARGAN.	De la *volaille*.
TOINETTE.	Ignorant !
ARGAN.	Du *veau*.
45 TOINETTE.	Ignorant !
ARGAN.	Des *bouillons*.
TOINETTE.	Ignorant !
ARGAN.	Des œufs frais.
TOINETTE.	Ignorant !
50 ARGAN.	Et le soir, de petits pruneaux pour *lâcher*
	le ventre.
TOINETTE.	Ignorant !
ARGAN.	Et surtout de boire mon vin *fort trempé*.
TOINETTE.	*Ignorantus, ignoranta, ignorantum* ! Il faut
55	boire votre vin pur ; et, pour épaissir votre
	sang, qui est trop subtil, il faut manger du
	bon gros *bœuf*, du bon gros porc, du bon
	fromage de Hollande, du riz et des
	marrons. Votre médecin est une bête.

Molière. *Le Malade Imaginaire*, Acte III Scène 10

Argan et sa servante Toinette déguisée en médecin.

1 **Observe la photo.** Quel habit portaient les médecins du XVIIe siècle ?

2 **Lis le texte.**

1) Déduis le sens des mots *en italique*.
2) Que se passe-t-il dans cette scène ? Justifie le titre de la pièce de Molière.
3) Que fait Toinette pour jouer le rôle du médecin ?
4) Quelles idées de Molière passent à travers ce personnage ?

3 **Cherchez dans cet extrait ce qui produit un effet comique.** Pensez à la situation, aux mœurs présentées, au caractère des personnages, aux mots utilisés...

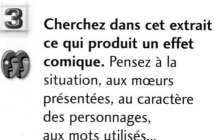

Projet

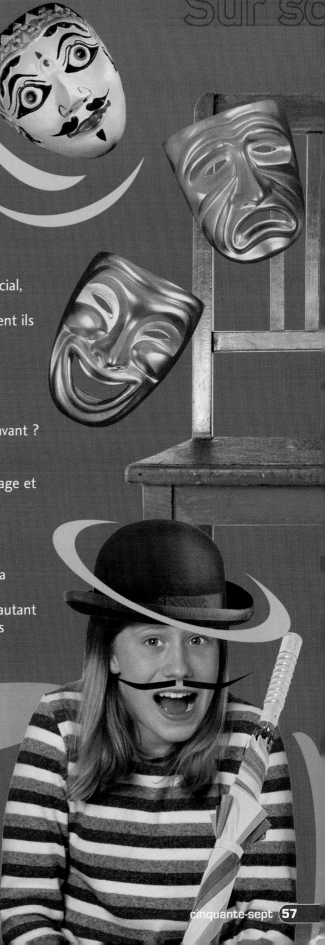

1 OBJECTIF

- Imaginer le contexte d'un extrait d'une pièce de théâtre pour le représenter. (Ton professeur te proposera 2 extraits au choix.)

2 IL FAUT...

- Des groupes de 3 personnes.
- Un exemplaire du texte par personne.

3 PRÉPARATION   **Fais travailler ton imagination !**

- Situez la scène.

   Qui sont les personnages ? Âge, profession, statut social, aspect physique, caractère.
   Comment ils s'habillent ? Comment ils parlent ? Comment ils se déplacent sur la scène ? Etc.

   Où sont-ils ? Le décor, les meubles et les accessoires.

   Qu'est-ce qui se passe ? Que font les personnages ? Quels rapports existent entre eux ?

   Quand a lieu cette scène ? Qu'est-ce qui s'est passé avant ? Que va-t-il se passer après ?

- Pensez à la mise en scène : préparez le décor, le maquillage et les vêtements en fonction de vos choix.

- Distribuez les rôles.

- Appropriez-vous le texte : mémorisez-le, choisissez les intonations, les pauses, les gestes, etc., en fonction de la personnalité choisie pour les personnages.
   Vous pouvez répéter des mots ou des phrases du texte autant de fois que vous voudrez, les déplacer et leur donner les intonations que vous jugerez appropriées.
   Répétez ensemble autant de fois qu'il sera nécessaire.

4 RÉALISATION

- La représentation.

   Attention :
   Notez bien tout ce que vous devez apporter !
   Un oubli pourrait faire rater l'ensemble.
   Contrôlez vos nerfs. Détendez-vous : respirez lentement et profondément !

   Et que le spectacle commence !!

Molière

Les sources de son théâtre

La comedia dell'arte est un genre théâtral qui apparaît au XVIe siècle en Italie. Il est basé sur l'improvisation : les pièces sont créées par les acteurs sur scène, à partir de canevas et de personnages traditionnels comme Arlequin, Pantalon, Colombine..., bien différenciés et tous plus drôles les uns que les autres. Les comédiens qui interprètent ces personnages doivent être pleins d'imagination et capables de faire rire par tous les moyens : pantomime, acrobaties, musique et chansons. Ces troupes de comédiens voyageaient dans toute l'Italie, et quelquefois à l'étranger. C'est ainsi que, dans son enfance, Jean-Baptiste Poquelin a eu l'occasion d'assister à une représentation de la commedia dell'arte à Paris. Ce spectacle l'a séduit et, bien plus tard, quand il est devenu Molière et a commencé à écrire ses propres pièces, il s'est souvenu des fantaisies des acteurs italiens. On peut donc dire que la commedia dell'arte est à l'origine de la comédie moderne.

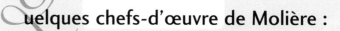

Sa vie

Jean-Baptiste Poquelin est né à Paris en 1622.

À 20 ans, il reprend l'honorable profession de son père, tapissier du roi. Elle consiste à préparer le soir la chambre du roi Louis XIII. Un soir, il assiste à la représentation d'un spectacle de comédie où joue Madeleine Béjart. Il est subjugué. Sa décision est prise : il délaisse un avenir confortable pour être comédien. Un an plus tard, il fonde sa troupe, *l'Illustre Théâtre*. Il a 22 ans. Hélas ! les affaires vont mal à Paris, il a beaucoup de dettes. On le met en prison. Après cela, la seule solution c'est de partir en province avec sa troupe. Il y restera pendant 12 ans.

De retour à Paris, en 1658, Molière obtient la protection du roi Louis XIV qui lui confie la direction de la salle du Palais Royal. Il commence à écrire ses premières comédies et à voler de succès en succès. Cela lui attire des ennemis car dans ses pièces il ridiculise les mœurs de son siècle.

Acteur, auteur et directeur de troupe, il s'épuisera au travail et mourra en 1673, à l'âge de 52 ans, juste après la 4e représentation du *Malade Imaginaire*.

Quelques chefs-d'œuvre de Molière :

1659 *Les Précieuses Ridicules*	1666 *Le Médecin malgré lui*
	1668 *L'Avare*
1664 *Tartuffe*	1670 *Le Bourgeois Gentilhomme*
1665 *Dom Juan*	
1666 *Le Misanthrope*	1673 *Le Malade Imaginaire*

Il a écrit trente-trois pièces. Mais, chose curieuse, on n'a trouvé aucun manuscrit, aucune page écrite de sa main.

et son époque

MOLIÈRE →

Quinze villages de France portent un même nom : Molière. Quand, à vingt-deux ans, Jean-Baptiste Poquelin prend le nom de Molière, auquel de ces villages pense-t-il ? Pourquoi ?

Mystère !

Molière est mort comme il a vécu, en faisant rire une dernière fois. Et nous, public du XXᵉ siècle, nous continuons à rire car ses satires sont toujours aussi vraies et ses textes toujours aussi subversifs. Malheureusement, l'amour démesuré pour l'argent, l'obsession du pouvoir, l'hypocrisie sociale sont toujours des thèmes d'actualité.

Questions

1) Qu'est-ce que c'est, la commedia dell'arte ?
2) Quels sont ses personnages les plus célèbres ?
3) Quel est le véritable nom de Molière ?
4) Pourquoi décide-t-il d'être comédien ?
5) En quelle année fonde-t-il sa 1ère troupe ?
6) Comment obtient-il la direction de la salle du Palais Royal ?
7) Pourquoi Molière est-il un homme de théâtre complet ?
8) Quand et dans quelles circonstances meurt-il ?
9) A-t-il eu une vie facile ?

Tu Sais...

Exprimer un besoin, une nécessité.

1 Voilà la liste des achats à faire avant de partir en vacances. Que dis-tu à ta mère ?

sandales
sac à dos
chaussettes en coton
shampooing
pâte dentifrice

> ▸ *Avoir besoin de* + nom
> ▸ *Il faut, devoir* + inf.

Exprimer des souhaits.

2 Quels changements proposerais-tu pour améliorer ton lycée / ta classe / ta ville... ?

> ▸ **Conditionnel**
> ▸ **Subjonctif**

Dire que tu as oublié quelque chose.

3 Tu dois réciter le nom de toutes les capitales d'Afrique. Tu as tout oublié. Qu'est-ce que tu dis ?

> ▸ **Avouer un oubli**
> ▸ **S'excuser, se justifier**

Formuler ou répondre à une invitation.

4 1) Tu as remarqué un(e) élève qui te plaît beaucoup à la bibliothèque du collège. Tu décides de l'inviter...
2) Un(e) de tes ami(e)s t'invite à son anniversaire. Malheureusement, tu ne pourras pas y aller...

> ▸ **Conditionnel**
> ▸ **Expressions pour formuler ou répondre à une invitation.**

Exprimer le but, l'obligation et la nécessité.

5 Ton petit frère / Ta petite sœur a l'intention de se déguiser.
Donne-lui des idées.

> ▸ *Si tu veux...* + infinitif
> ▸ *Il faut* + infinitif / *Devoir* + infinitif
> ▸ *Avoir besoin de* + nom
> ▸ *Pour* + infinitif / *Pour que* + subj.
> ▸ *Il faut que* + subj.

Proposer quelque chose à quelqu'un.

6 Cet après-midi, tes copains / copines et toi, vous vous ennuyez. Tu décides de mettre fin à cette situation. Tu leur fais des propositions et des suggestions.

> ▸ **Conditionnel**

JUNIOR MAGAZINE

dossier 6 Spirale

À découvrir dans ce magazine l'endroit exact où l'on réutilise :

* le passé
* le conditionnel
* les expressions pour décrire et caractériser des objets

Sympa, la vache ? Imagine ses meilleurs souvenirs, ses revendications, ses souhaits.

TECHNO-BRÈVES

textile

Vers le tissu qui cicatrise tout seul

Lors du Salon des fabricants de tissus, le groupe belge Sofinal a présenté un tissu en polyamide qui se referme quand on y fait un trou en passant tout simplement la main dessus. Utilisé pour les sacs à dos et les anoraks, le tissu magique reste encore peu exploitable pour le prêt-à-porter car il est trop lourd.

Nos descendants seront-ils mutants ?

Des souris mutantes, devenues fluorescentes par la greffe des gènes d'une anémone elle-même fluo, annoncent l'ère du bricolage génétique. De la même façon, des biologistes pensent créer des hommes dotés de branchies, d'yeux sensibles aux infrarouges pour voir la nuit, ou de quatre mains pour vivre en apesanteur... Mais le mode d'emploi de l'ADN ne sera pas maîtrisé avant 50 ans.

Depuis le roman d'Aldous Huxley Le meilleur des mondes, *le clonage d'enfants est le symbole de la science pervertie.*

VIE QUOTIDIENNE

La boîte à chaussures qui attrape les odeurs

Son efficacité a déjà été testée sur 20 paires de baskets au fumet putride apportées par des étudiants volontaires. Les inventeurs, deux chercheurs au St. Bartholomew Hospital de Londres, travaillaient sur un traitement à base d'oxyde nitrique (NO) pour désinfecter une maladie de peau quand ils ont eu l'idée d'inventer un dispositif fabriquant des vapeurs de NO et de le fixer dans une boîte à chaussures. Un prototype qui attend des investisseurs pour être commercialisé.

BLAGUE : —J'ai voulu acheter la boîte qui mange les odeurs de pieds, mais ils n'avaient pas ma taille ! —En pointure ? —Non, en puanteur.

ESPACE

Un ascenseur pour les étoiles

C'est fou mais c'est vrai ! Les ingénieurs de la Nasa veulent construire un ascenseur pour aller dans l'espace. Une sorte de câble géant de près de 36 000 km de long en orbite autour de la Terre ! Des vaisseaux partiraient du sol, glisseraient le long de cet interminable serpent comme sur une autoroute verticale pour emporter des astronautes, des satellites, des provisions et le carburant nécessaire pour vivre tout là-haut. Trouillards, rassurez-vous : le premier voyage n'est pas prévu avant 2050.

ROBOTIQUE

Aibo (" copain ", en japonais)

Le robot-chien de Sony, exprime des émotions et apprend de ses expériences. Malgré son prix élevé, le jour où il a été mis sur le marché au Japon, 3000 exemplaires sont partis en 20'...

D'après toi, que se passera-t-il dans 100 ans ?

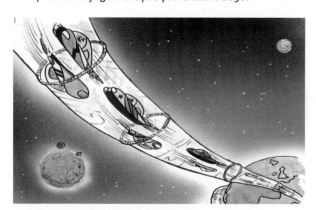

GÉNÉTIQUE

L'Inde ressuscite son guépard

L'Inde va financer le clonage d'une espèce de guépard disparu du sous-continent depuis 50 ans. Les prélèvements seront effectués sur un spécimen naturalisé conservé à New Delhi.

Laquelle de ces découvertes te semble la plus utile ? La plus inutile ? La plus dangereuse ? La plus spectaculaire ? Pourquoi ?

1. Qui a découvert la pénicilline ?
a. Robert Koch
b. Louis Pasteur
c. Alexander Fleming
d. Le docteur Petiot

2. Dans quel monument parisien peut-on admirer le pendule de Foucault ?
a. Les Invalides
b. Le Panthéon
c. La Sorbonne
d. Le siège de TF1

3. Qui a inventé l'ordinateur ?
a. François Keynes
b. Louis Cederom
c. Henri Sentillo
d. Charles Babbage

4. Qui a inventé le téléphone ?
a. Graham Bell
b. Thomas Edison
c. Thomas Jefferson
d. France Télécom

5. Quel philosophe français est l'inventeur de la machine à calculer ?
a. Descartes
b. Pascal
c. Rousseau
d. Voltaire

6. Qui a inventé la 1ère pile électrique ?
a. Fermi
b. Volta
c. Ampère
d. Watt

7. La première fermeture Éclair est née à Chicago en 1893. À quoi servait-elle à l'origine ?
a. À fermer les tentes des soldats.
b. À fermer les bottes hautes.
c. À fermer les sacoches des facteurs.
d. À fermer les robes dans le dos.

8. Qui a inventé la radio en 1901 ?
a. Pathe
b. Marconi
c. Siemens
d. Airtehel

9. Qui fut la première femme a être envoyée dans l'espace ?
a. Sveltana Yerse-nyevna Saviskaya
b. Helen Patricia Scharman
c. Valentina Vladimi-rovnna Tereshkova
d. Mary Poppins

10. Quelle prouesse génétique ont réussi les Japonais en 1997 ?
a. Le 1er chat à plumes.
b. Les 1ères souris phosphorescentes.
c. 1 rat géant de 45 kg.
d. 1 bœuf androgyne fournissant du lait.

Teste tes connaissances sur les grandes inventions de l'histoire !

DÉBAT : science et progrès sont-ils toujours positifs ?

Courrier des lecteurs : Qu'aimeriez-vous qu'on invente pour vous faciliter la vie ?

66 Moi, j'aimerais inventer le transporteur numérique. C'est-à-dire, une machine qui transporterait une personne juste en un centième de seconde. Il suffirait de composer une adresse sur un petit clavier,... *Entrée* et... 99
Manon 16 ans

66 *Moi, je voudrais inventer une machine pour détruire les déchets toxiques qui abîment la couche d'ozone. Comme cela, la terre pourrait rester intacte. L'air serait bien moins pollué et meilleur à respirer. Quelques maladies seraient peut-être évitées...* 99
Valentin 16 ans

66 Moi, j'aimerais qu'on invente une sorte de linge dans lequel il y aurait une mince couche de glace qui nous garderait au frais pour l'été. 99
Alice 15 ans

66 *Ce serait rigolo, un robot qui pourrait faire la coiffure que vous désirez. On n'aurait qu'à le programmer pour qu'il vous coiffe à votre goût. Il pourrait s'appeler Coiffure Rapido. C'est sûr qu'il prendrait un peu de place mais c'est original.* 99
Camille 14 ans

BALLADE POUR UNE ENFANCE DÉFUNTE

Le paysage a bien changé ! Avant, qu'est-ce qu'il y avait ? Et maintenant ? Pourquoi Boule et Bill pleurent-ils à la fin de la promenade ?

résumé GRAMMATICAL

LE NOM ET SA SYNTAXE

À partir du nom *tasse* *La tasse est vide.*
- Nom + **adjectif** *La jolie tasse est vide.*
- Nom + **complément** *La jolie tasse*

À thé	(utilité)	
DE thé	(contenu)	
EN porcelaine	(matière)	*est vide.*
DE Catherine	(appartenance)	
SANS anse	(caractérisation)	

- Nom + **subordonnée relative** *La jolie tasse à thé*

QUI est à côté du vase	*est vide.*
QUE tu vois sur la cheminée	

- Nom + **phrase apposée** *Cette jolie tasse à thé, **trésor du XVIᵉ siècle**, est vide.*
- De nombreuses combinaisons sont possibles. *Cette jolie tasse à thé, trésor du XVIᵉ siècle, que l'on voit sur cette cheminée et qui est vide, a été utilisée par un noble de la cour.*

LE VERBE ET SA SYNTAXE

Avec le verbe AVOIR

- AVOIR   + nom
- AVOIR   faim, soif
- AVOIR   mal à + partie du corps
- AVOIR   peur de + nom / infinitif
- AVOIR   le temps de + infinitif
- AVOIR   besoin de + inf. / indic.
- AVOIR   envie de + inf. / indic.

Avec AIMER et FAIRE

- AIMER | quelqu'un
quelque chose
+ infinitif
que + subjonctif

- FAIRE | quelque chose
du piano
qqch à qqun

Au DISCOURS INDIRECT

- DIRE | DE + infinitif
QUE + indicatif
CE QUE + indicatif

- DEMANDER | SI + indicatif
COMMENT + indicatif
POURQUOI + indicatif
DE + infinitif

Avec les VERBES + À

VERBES	QUELQU'UN / QUELQUE CHOSE
• s'intéresser à	*Je m'intéresse **à sa famille.***
• s'habituer à	*Il ne s'habitue pas **à la ville.***
• penser à	*Tu penses **à moi ?***
• faire attention à	*Fais attention **aux voitures !***
• réfléchir à	*Vous ne réfléchissez **à rien !***
• À + personne	*Je pense **à Pierre.***
= À + pron. c.o.i.	*= Je pense **à lui.***

Avec les VERBES + DE

VERBES	QUELQU'UN / QUELQUE CHOSE
• parler de	*Nous avons parlé **des vacances.***
• se souvenir de	*Je ne me souviens **de rien.***
• s'occuper de	*Elle s'occupe **d'enfants.***
• DE + personne	*Il s'occupe **de sa sœur.***
= DE + pron. c.o.i.	*= Il s'occupe **d'elle.***
• DE + chose	*Il s'occupe **du ménage.***
= EN	*= Il s'**en occupe.***

AVEC LES VERBES + DOUBLE COMPLÉMENT

VERBES	QUELQUE CHOSE / À QUELQU'UN	VERBES	QUELQUE CHOSE / À QUELQU'UN
• dire	*Elle dit **bonjour à la concierge.***	• préparer	*Nous **vous** préparons **la chambre.***
• demander	*Il **lui** demande **une explication.***	• offrir	*Elle a offert **un livre à Paul.***
• expliquer	*Elle **leur** explique **un problème.***	• prêter	*Tu **me** prêtes **tes lunettes ?***
• donner	*Des crêpes ? Elle **m'en** donnera **trois.***	• rendre	*Je **lui** ai rendu **son bouquin.***

LA PHRASE DE TYPE A : une idée simple

- Sujet + verbe

Elle arrive.

- Sujet + verbe + complément

Verse la farine.
Je ne supporte pas le bruit.
Il a une petite moustache.
Elle marche vite.

Le verbe peut être sous-entendu.

Silence !
Merci !

Elle permet de s'exprimer avec sobriété, clarté, précision.
Elle convient bien aux reportages, aux descriptions simples. On l'utilise pour donner des instructions, des recettes simples, des règles de jeux, et pour mettre en valeur un élément important.

LA PHRASE DE TYPE B : une idée double ou plusieurs idées simples

- Sujet + verbe + plusieurs compléments

*J'ai vu un homme brun **avec** une petite moustache **et** une casquette à carreaux.*

- Sujet + plusieurs verbes coordonnés

*Il **va** tous les matins **faire** ses courses au marché **et acheter** son journal au kiosque du coin.*

- Plusieurs phrases simples juxtaposées

Il est venu, il a vu, il a vaincu.

- Plusieurs phrases simples coordonnées avec *et / ou*

*Il est venu à 4 heures **et** il a laissé son paquet.*

Elle permet de s'exprimer avec plus de détails, de relier des idées simples entre elles.
Elle convient aux descriptions, aux récits, aux modes d'emploi, aux explications.

LA PHRASE DE TYPE C : une ou plusieurs idées complexes imbriquées entre elles

Plusieurs phrases coordonnées et / ou subordonnées :

- Phrase simple ou double + **élément de relation** + phrase simple ou double

*Il s'est fâché avec toi **parce que** tu es parti sans dire au revoir.*

- Phrase simple ou double + **pronom relatif** + phrase simple ou double

*Je voudrais des propositions **qui** améliorent la qualité de vie de notre ville.*

- Phrase simple ou double + **conjonction de subordination** + phrase simple ou double

*Un voleur est entré chez eux **quand** ils dormaient.*

***Si** on prend le train, on sera moins fatigués **quand** on arrivera.*

Elle permet d'argumenter, de polémiquer, de donner son opinion, d'établir des relations logiques entres les idées, de nuancer celles-ci, de décrire quelque chose avec précision, de compléter des informations, etc.
Elle convient aux débats, aux discours, aux bibliographies, aux exposés, aux récits, aux explications.

LES RELATIONS DANS LA PHRASE

LE BUT

- POUR + infinitif — *Je les attends **pour** aller au cinéma.*
- POUR QUE + subjonctif — *J'ai arrangé la chambre **pour que** vous puissiez vous installer.*

LA CAUSE

- CAR — *Il n'ose pas parler **car** il a peur de dire des bêtises.*
- À CAUSE DE + nom — *Elle passe inaperçue **à cause de** sa timidité.*
- PARCE QUE + indicatif — *Je ne le supporte pas **parce qu'**il a très mauvais caractère.*
- COMME + indicatif — ***Comme** elle est très extrovertie, elle a beaucoup d'amis.*

LA CONSÉQUENCE

- ALORS — *Sa mère est anglaise, **alors** elle parle bien l'anglais !*
- DONC — *Tu es déjà grand, tu peux **donc** comprendre.*

LA CONDITION (L'HYPOTHÈSE)

- SI + présent + futur — ***Si** je peux, je t'accompagnerai.*
- SI + présent + impératif — ***Si** tu reconnais le suspect, préviens la police.*

LA COMPARAISON

- COMME — *Il est bête **comme** une oie.*
- PLUS / MOINS (DE) QUE — *Elle travaille **plus que** lui.*
- AUSSI / AUTANT (DE) QUE — *Le rap me plaît **autant que** la techno.*

LE TEMPS

ANTÉRIORITÉ

- QUAND + indicatif — ***Quand** nous n'avions pas compris, elle nous expliquait à nouveau.*
- LORSQUE + indicatif — ***Lorsque** nous étions arrivés, nous la prévenions.*

SIMULTANÉITÉ

- QUAND + indicatif — ***Quand** je vais en moto, je porte toujours un casque.*
- LORSQUE + indicatif — *Je partirai **lorsque** tu me le diras.*
- PENDANT QUE + indicatif — *Mets le couvert **pendant que** je finis de préparer le dîner, s'il te plaît.*

LA LIAISON

- ET — *Un jour, il est parti **et** nous ne l'avons plus revu.*
- NI — *Elle ne veut **ni** sortir en boîte **ni** aller au cinéma **ni** au restaurant.*

LE PRÉSENT

Il sert à évoquer une **action en cours de réalisation** au moment où l'on parle. *Qu'est-ce que tu fais ? Je me repose.*
Il a d'autres emplois :
- Présent d'**habitude**.
  Le matin, elle lit le journal.
  Tous les jours, je vais au lycée.
- Présent **historique** (dans une biographie ou une narration historique).
  En 1673, Molière écrit Le Malade imaginaire.
- Pour exprimer un **ordre**.
  Tu me passes le sel ?
- Pour exprimer une **hypothèse** réalisable.
  Si tu veux, tu peux rester ici.
- Pour exprimer le **futur**.
  Jeudi prochain, je pars en Grèce.
- Pour rendre un **récit oral** plus vivant.
  Hier, j'étais au marché et qui je rencontre ? Marc !

LE FUTUR

Il sert à annoncer des **projets**, à parler de l'**avenir**.
- Il présente un **événement prévu**.
  Les prix augmenteront à partir de juin.
- Il sert à faire des **promesses**.
  Je vous promets que je vous téléphonerai.
- Il s'utilise après **quand**.
  Quand elle sera libre, préviens-moi.
- Il sert aussi à donner un **ordre**, une **consigne**.
  Tu passeras par la pharmacie, s'il te plaît ?

LE FUTUR PROCHE

- Il **peut remplacer le futur,** surtout à l'oral.
  L'année prochaine, il va finir ses études.
- Il sert à parler de **projets immédiats**.
  Cet après-midi, je vais aller au cinéma.
- Il annonce souvent un **changement**.
  On va avoir un nouvel horaire.

LE CONDITIONNEL

Il énonce des faits **imaginaires**. Il sert à exprimer :
- Un **souhait** (avec *aimer, souhaiter, préférer, vouloir*).
  Elle préférerait que tu ne viennes pas.
- Une **suggestion, une invitation** (avec *vouloir, pouvoir, aimer, plaire*).
  Nous pourrions aller au ciné.
  Aimeriez-vous aller à la plage ?
- Un **conseil**.
  Tu devrais rester.
- Une **demande polie**.
  Pourriez-vous me dire l'heure ?
  Je voudrais un kilo de sucre, s'il vous plaît.
- Une **action hypothétique** soumise à une condition.
  Si tu voulais, on pourrait y aller ensemble.

LE PASSÉ COMPOSÉ

- Il sert à **raconter des actions au passé**.
  On a pris le bus, puis on est descendus au centre.
- Il est souvent accompagné d'un indicateur de temps :
  hier, à 2 heures, la semaine dernière...
- Il évoque des **événements ponctuels**.
  Il est arrivé le premier.
- Il peut, dans certains cas, évoquer le **présent**.
  Voilà, j'ai compris,

L'IMPARFAIT

C'est le temps des **situations passées**.
- Il sert à évoquer des **souvenirs**, des **habitudes**.
  Quand j'avais 8 ans, je détestais aller chez le coiffeur.
- Il est souvent utilisé avec le passé composé, pour décrire **les circonstances** dans lesquelles se produit un événement ponctuel.
  J'étais dans le salon lorsque Paul est arrivé.
- Il indique la **cause**.
  Il faisait beau, je suis sorti me promener.
- Il sert également à faire des **suggestions**.
  Et si on allait au théâtre ?
- Il sert, par ailleurs, à formuler des **hypothèses** plus ou moins irréelles.
  Si je pouvais, je changerais de pays.

LE PLUS-QUE-PARFAIT

- Il sert à indiquer qu'une **action** est **antérieure à une autre** dans le passé.
  Quand je suis arrivé, il avait fini de travailler.

LE SUBJONCTIF

Il sert à évoquer une **action qui n'a pas encore eu lieu** ou une **attitude subjective**. Il exprime :
- **L'obligation.**
  Il faut que vous soyez plus tranquilles.
- **Le conseil.**
  Il vaut mieux que vous partiez.
- **Le souhait.**
  Je souhaite que
  Je voudrais que | *vous sortiez.*
  J'aimerais que
- **L'ordre ou l'interdiction.**
  Je veux qu'
  J'interdis qu' | *il parte.*
- **L'opinion.**
  Je ne pense pas que
  Je ne trouve pas que | *vous soyez mieux ici que là-bas.*
  Je ne crois pas que
- **La probabilité**
  Il est probable qu'elle arrive demain.
- **Il est obligatoire après certaines conjonctions :**
  jusqu'à ce que, pour que...

avoir

INFINITIF	PRÉSENT	IMPÉRATIF	FUTUR	IMPARFAIT	PASSÉ COMPOSÉ	PLUS-QUE-PARFAIT	CONDITIONNEL	SUBJONCTIF
avoir	j'ai	—	j'aurai	j'avais	j'ai eu	j'avais eu	j'aurais	(que) j'aie
	tu as	aie	tu auras	tu avais	tu as eu	tu avais eu	tu aurais	(que) tu aies
	il/elle a	—	il/elle aura	il/elle avait	il/elle a eu	il/elle avait eu	il/elle aurait	(qu') il/elle ait
	nous avons	ayons	nous aurons	nous avions	nous avons eu	nous avions eu	nous aurions	(que) nous ayons
	vous avez	ayez	vous aurez	vous aviez	vous avez eu	vous aviez eu	vous auriez	(que) vous ayez
	ils/elles ont		ils/elles auront	ils/elles avaient	ils/elles ont eu	ils/elles avaient eu	ils/elles auraient	(qu') ils/elles aient

être

INFINITIF	PRÉSENT	IMPÉRATIF	FUTUR	IMPARFAIT	PASSÉ COMPOSÉ	PLUS-QUE-PARFAIT	CONDITIONNEL	SUBJONCTIF
être	je suis	—	je serai	j'étais	j'ai été	j'avais été	je serais	(que) je sois
	tu es	sois	tu seras	tu étais	tu as été	tu avais été	tu serais	(que) tu sois
	il/elle est	—	il/elle sera	il/elle était	il/elle a été	il/elle avait été	il/elle serait	(qu') il/elle soit
	nous sommes	soyons	nous serons	nous étions	nous avons été	nous avions été	nous serions	(que) nous soyons
	vous êtes	soyez	vous serez	vous étiez	vous avez été	vous aviez été	vous seriez	(que) vous soyez
	ils/elles sont		ils/elles seront	ils/elles étaient	ils/elles ont été	ils/elles avaient été	ils/elles seraient	(qu') ils/elles soient

aimer

INFINITIF	PRÉSENT	IMPÉRATIF	FUTUR	IMPARFAIT	PASSÉ COMPOSÉ	PLUS-QUE-PARFAIT	CONDITIONNEL	SUBJONCTIF
aimer	j'aime	—	j'aimerai	j'aimais	j'ai aimé	j'avais aimé	j'aimerais	(que) j'aime
	tu aimes	aime	tu aimeras	tu aimais	tu as aimé	tu avais aimé	tu aimerais	(que) tu aimes
	il/elle aime	—	il/elle aimera	il/elle aimait	il/elle a aimé	il/elle avait aimé	il/elle aimerait	(qu') il/elle aime
	nous aimons	aimons	nous aimerons	nous aimions	nous avons aimé	nous avions aimé	nous aimerions	(que) nous aimions
	vous aimez	aimez	vous aimerez	vous aimiez	vous avez aimé	vous aviez aimé	vous aimeriez	(que) vous aimiez
	ils/elles aiment		ils/elles aimeront	ils/elles aimaient	ils/elles ont aimé	ils/elles avaient aimé	ils/elles aimeraient	(qu') ils/elles aiment

jeter

INFINITIF	PRÉSENT	IMPÉRATIF	FUTUR	IMPARFAIT	PASSÉ COMPOSÉ	PLUS-QUE-PARFAIT	CONDITIONNEL	SUBJONCTIF
jeter	je jette	—	je jetterai	je jetais	j'ai jeté	j'avais jeté	je jetterais	(que) je jette
	tu jettes	jette	tu jetteras	tu jetais	tu as jeté	tu avais jeté	tu jetterais	(que) tu jettes
	il/elle jette	—	il/elle jettera	il/elle jetait	il/elle a jeté	il/elle avait jeté	il/elle jetterait	(qu') il/elle jette
	nous jetons	jetons	nous jetterons	nous jetions	nous avons jeté	nous avions jeté	nous jetterions	(que) nous jetions
	vous jetez	jetez	vous jetterez	vous jetiez	vous avez jeté	vous aviez jeté	vous jetteriez	(que) vous jetiez
	ils/elles jettent		ils/elles jetteront	ils/elles jetaient	ils/elles ont jeté	ils/elles avaient jeté	ils/elles jetteraient	(qu') ils/elles jettent

commencer

INFINITIF	PRÉSENT	IMPÉRATIF	FUTUR	IMPARFAIT	PASSÉ COMPOSÉ	PLUS-QUE-PARFAIT	CONDITIONNEL	SUBJONCTIF
commencer	je commence	—	je commencerai	je commençais	j'ai commencé	j'avais commencé	je commencerais	(que) je commence
	tu commences	commence	tu commenceras	tu commençais	tu as commencé	tu avais commencé	tu commencerais	(que) tu commences
	il/elle commence	—	il/elle commencera	il/elle commençait	il/elle a commencé	il/elle avait commencé	il/elle commencerait	(qu') il/elle commence
	nous commençons	commençons	nous commencerons	nous commencions	nous avons commencé	nous avions commencé	nous commencerions	(que) nous commencions
	vous commencez	commencez	vous commencerez	vous commenciez	vous avez commencé	vous aviez commencé	vous commenceriez	(que) vous commenciez
	ils/elles commencent		ils/elles commenceront	ils/elles commençaient	ils/elles ont commencé	ils/elles avaient commencé	ils/elles commenceraient	(qu') ils/elles commencent

manger

INFINITIF	PRÉSENT	IMPÉRATIF	FUTUR	IMPARFAIT	PASSÉ COMPOSÉ	PLUS-QUE-PARFAIT	CONDITIONNEL	SUBJONCTIF
manger	je mange	—	je mangerai	je mangeais	j'ai mangé	j'avais mangé	je mangerais	(que) je mange
	tu manges	mange	tu mangeras	tu mangeais	tu as mangé	tu avais mangé	tu mangerais	(que) tu manges
	il/elle mange	—	il/elle mangera	il/elle mangeait	il/elle a mangé	il/elle avait mangé	il/elle mangerait	(qu') il/elle mange
	nous mangeons	mangeons	nous mangerons	nous mangions	nous avons mangé	nous avions mangé	nous mangerions	(que) nous mangions
	vous mangez	mangez	vous mangerez	vous mangiez	vous avez mangé	vous aviez mangé	vous mangeriez	(que) vous mangiez
	ils/elles mangent		ils/elles mangeront	ils/elles mangeaient	ils/elles ont mangé	ils/elles avaient mangé	ils/elles mangeraient	(qu') ils/elles mangent

conjugaisons

aller

INFINITIF	PRÉSENT	IMPÉRATIF	FUTUR	IMPARFAIT	PASSÉ COMPOSÉ	PLUS-QUE-PARFAIT	CONDITIONNEL	SUBJONCTIF
aller	je vais		j' irai	j' allais	je suis allé(e)	j' étais allé(e)	j' irais	(que) j' aille
	tu vas	va	tu iras	tu allais	tu es allé(e)	tu étais allé(e)	tu irais	(que) tu ailles
	il/elle va		il/elle ira	il/elle allait	il/elle est allé(e)	il/elle était allé(e)	il/elle irait	(qu') il/elle aille
	nous allons	allons	nous irons	nous allions	nous sommes allé(e)s	nous étions allé(e)s	nous irions	(que) nous allions
	vous allez	allez	vous irez	vous alliez	vous êtes allé(e)(s)	vous étiez allé(e)(s)	vous iriez	(que) vous alliez
	ils/elles vont		ils/elles iront	ils/elles allaient	ils/elles sont allé(e)s	ils/elles étaient allé(e)s	ils/elles iraient	(qu') ils/elles aillent

finir

INFINITIF	PRÉSENT	IMPÉRATIF	FUTUR	IMPARFAIT	PASSÉ COMPOSÉ	PLUS-QUE-PARFAIT	CONDITIONNEL	SUBJONCTIF
finir	je finis		je finirai	je finissais	j' ai fini	j' avais fini	je finirais	(que) je finisse
	tu finis	finis	tu finiras	tu finissais	tu as fini	tu avais fini	tu finirais	(que) tu finisses
	il/elle finit		il/elle finira	il/elle finissait	il/elle a fini	il/elle avait fini	il/elle finirait	(qu') il/elle finisse
	nous finissons	finissons	nous finirons	nous finissions	nous avons fini	nous avions fini	nous finirions	(que) nous finissions
	vous finissez	finissez	vous finirez	vous finissiez	vous avez fini	vous aviez fini	vous finiriez	(que) vous finissiez
	ils/elles finissent		ils/elles finiront	ils/elles finissaient	ils/elles ont fini	ils/elles avaient fini	ils/elles finiraient	(qu') ils/elles finissent

partir

INFINITIF	PRÉSENT	IMPÉRATIF	FUTUR	IMPARFAIT	PASSÉ COMPOSÉ	PLUS-QUE-PARFAIT	CONDITIONNEL	SUBJONCTIF
partir	je pars		je partirai	je partais	je suis parti(e)	j' étais parti(e)	je partirais	(que) je parte
	tu pars	pars	tu partiras	tu partais	tu es parti(e)	tu étais parti(e)	tu partirais	(que) tu partes
	il/elle part		il/elle partira	il/elle partait	il/elle est parti(e)	il/elle était parti(e)	il/elle partirait	(qu') il/elle parte
	nous partons	partons	nous partirons	nous partions	nous sommes parti(e)s	nous étions parti(e)s	nous partirions	(que) nous partions
	vous partez	partez	vous partirez	vous partiez	vous êtes parti(e)(s)	vous étiez parti(e)(s)	vous partiriez	(que) vous partiez
	ils/elles partent		ils/elles partiront	ils/elles partaient	ils/elles sont parti(e)s	ils/elles étaient parti(e)s	ils/elles partiraient	(qu') ils/elles partent

venir

INFINITIF	PRÉSENT	IMPÉRATIF	FUTUR	IMPARFAIT	PASSÉ COMPOSÉ	PLUS-QUE-PARFAIT	CONDITIONNEL	SUBJONCTIF
venir	je viens		je viendrai	je venais	je suis venu(e)	j' étais venu(e)	je viendrais	(que) je vienne
	tu viens	viens	tu viendras	tu venais	tu es venu(e)	tu étais venu(e)	tu viendrais	(que) tu viennes
	il/elle vient		il/elle viendra	il/elle venait	il/elle est venu(e)	il/elle était venu(e)	il/elle viendrait	(qu') il/elle vienne
	nous venons	venons	nous viendrons	nous venions	nous sommes venu(e)s	nous étions venu(e)s	nous viendrions	(que) nous venions
	vous venez	venez	vous viendrez	vous veniez	vous êtes venu(e)(s)	vous étiez venu(e)(s)	vous viendriez	(que) vous veniez
	ils/elles viennent		ils/elles viendront	ils/elles venaient	ils/elles sont venu(e)s	ils/elles étaient venu(e)s	ils/elles viendraient	(qu') ils/elles viennent

dire

INFINITIF	PRÉSENT	IMPÉRATIF	FUTUR	IMPARFAIT	PASSÉ COMPOSÉ	PLUS-QUE-PARFAIT	CONDITIONNEL	SUBJONCTIF
dire	je dis		je dirai	je disais	j' ai dit	j' avais dit	je dirais	(que) je dise
	tu dis	dis	tu diras	tu disais	tu as dit	tu avais dit	tu dirais	(que) tu dises
	il/elle dit		il/elle dira	il/elle disait	il/elle a dit	il/elle avait dit	il/elle dirait	(qu') il/elle dise
	nous disons	disons	nous dirons	nous disions	nous avons dit	nous avions dit	nous dirions	(que) nous disions
	vous dites	dites	vous direz	vous disiez	vous avez dit	vous aviez dit	vous diriez	(que) vous disiez
	ils/elles disent		ils/elles diront	ils/elles disaient	ils/elles ont dit	ils/elles avaient dit	ils/elles diraient	(qu') ils/elles disent

écrire

INFINITIF	PRÉSENT	IMPÉRATIF	FUTUR	IMPARFAIT	PASSÉ COMPOSÉ	PLUS-QUE-PARFAIT	CONDITIONNEL	SUBJONCTIF
écrire	j' écris		j' écrirai	j' écrivais	j' ai écrit	j' avais écrit	j' écrirais	(que) j' écrive
	tu écris	écris	tu écriras	tu écrivais	tu as écrit	tu avais écrit	tu écrirais	(que) tu écrives
	il/elle écrit		il/elle écrira	il/elle écrivait	il/elle a écrit	il/elle avait écrit	il/elle écrirait	(qu') il/elle écrive
	nous écrivons	écrivons	nous écrirons	nous écrivions	nous avons écrit	nous avions écrit	nous écririons	(que) nous écrivions
	vous écrivez	écrivez	vous écrirez	vous écriviez	vous avez écrit	vous aviez écrit	vous écririez	(que) vous écriviez
	ils/elles écrivent		ils/elles écriront	ils/elles écrivaient	ils/elles ont écrit	ils/elles avaient écrit	ils/elles écriraient	(qu') ils/elles écrivent

croire

	PRÉSENT	IMPÉRATIF	FUTUR	IMPARFAIT	PASSÉ COMPOSÉ	PLUS-QUE-PARFAIT	CONDITIONNEL	SUBJONCTIF
je / j'	crois		croirai	croyais	ai cru	avais cru	croirais	(que) croie
tu	crois	crois	croiras	croyais	as cru	avais cru	croirais	(que) croies
il/elle	croit		croira	croyait	a cru	avait cru	croirait	(qu') croie
nous	croyons	croyons	croirons	croyions	avons cru	avions cru	croirions	(que) croyions
vous	croyez	croyez	croirez	croyiez	avez cru	aviez cru	croiriez	(que) croyiez
ils/elles	croient		croiront	croyaient	ont cru	avaient cru	croiraient	(qu') croient

mettre

	PRÉSENT	IMPÉRATIF	FUTUR	IMPARFAIT	PASSÉ COMPOSÉ	PLUS-QUE-PARFAIT	CONDITIONNEL	SUBJONCTIF
je / j'	mets		mettrai	mettais	ai mis	avais mis	mettrais	(que) mette
tu	mets	mets	mettras	mettais	as mis	avais mis	mettrais	(que) mettes
il/elle	met		mettra	mettait	a mis	avait mis	mettrait	(qu') mette
nous	mettons	mettons	mettrons	mettions	avons mis	avions mis	mettrions	(que) mettions
vous	mettez	mettez	mettrez	mettiez	avez mis	aviez mis	mettriez	(que) mettiez
ils/elles	mettent		mettront	mettaient	ont mis	avaient mis	mettraient	(qu') mettent

connaître

	PRÉSENT	IMPÉRATIF	FUTUR	IMPARFAIT	PASSÉ COMPOSÉ	PLUS-QUE-PARFAIT	CONDITIONNEL	SUBJONCTIF
je / j'	connais		connaîtrai	connaissais	ai connu	avais connu	connaîtrais	(que) connaisse
tu	connais	connais	connaîtras	connaissais	as connu	avais connu	connaîtrais	(que) connaisses
il/elle	connaît		connaîtra	connaissait	a connu	avait connu	connaîtrait	(qu') connaisse
nous	connaissons	connaissons	connaîtrons	connaissions	avons connu	avions connu	connaîtrions	(que) connaissions
vous	connaissez	connaissez	connaîtrez	connaissiez	avez connu	aviez connu	connaîtriez	(que) connaissiez
ils/elles	connaissent		connaîtront	connaissaient	ont connu	avaient connu	connaîtraient	(qu') connaissent

prendre

	PRÉSENT	IMPÉRATIF	FUTUR	IMPARFAIT	PASSÉ COMPOSÉ	PLUS-QUE-PARFAIT	CONDITIONNEL	SUBJONCTIF
je / j'	prends		prendrai	prenais	ai pris	avais pris	prendrais	(que) prenne
tu	prends	prends	prendras	prenais	as pris	avais pris	prendrais	(que) prennes
il/elle	prend		prendra	prenait	a pris	avait pris	prendrait	(qu') prenne
nous	prenons	prenons	prendrons	prenions	avons pris	avions pris	prendrions	(que) prenions
vous	prenez	prenez	prendrez	preniez	avez pris	aviez pris	prendriez	(que) preniez
ils/elles	prennent		prendront	prenaient	ont pris	avaient pris	prendraient	(qu') prennent

vendre

	PRÉSENT	IMPÉRATIF	FUTUR	IMPARFAIT	PASSÉ COMPOSÉ	PLUS-QUE-PARFAIT	CONDITIONNEL	SUBJONCTIF
je / j'	vends		vendrai	vendais	ai vendu	avais vendu	vendrais	(que) vende
tu	vends	vends	vendras	vendais	as vendu	avais vendu	vendrais	(que) vendes
il/elle	vend		vendra	vendait	a vendu	avait vendu	vendrait	(qu') vende
nous	vendons	vendons	vendrons	vendions	avons vendu	avions vendu	vendrions	(que) vendions
vous	vendez	vendez	vendrez	vendiez	avez vendu	aviez vendu	vendriez	(que) vendiez
ils/elles	vendent		vendront	vendaient	ont vendu	avaient vendu	vendraient	(qu') vendent

faire

	PRÉSENT	IMPÉRATIF	FUTUR	IMPARFAIT	PASSÉ COMPOSÉ	PLUS-QUE-PARFAIT	CONDITIONNEL	SUBJONCTIF
je / j'	fais		ferai	faisais	ai fait	avais fait	ferais	(que) fasse
tu	fais	fais	feras	faisais	as fait	avais fait	ferais	(que) fasses
il/elle	fait		fera	faisait	a fait	avait fait	ferait	(qu') fasse
nous	faisons	faisons	ferons	faisions	avons fait	avions fait	ferions	(que) fassions
vous	faites	faites	ferez	faisiez	avez fait	aviez fait	feriez	(que) fassiez
ils/elles	font		feront	faisaient	ont fait	avaient fait	feraient	(qu') fassent

lire

INFINITIF	PRÉSENT	IMPÉRATIF	FUTUR	IMPARFAIT	PASSÉ COMPOSÉ	PLUS-QUE-PARFAIT	CONDITIONNEL	SUBJONCTIF
lire	je lis		je lirai	je lisais	j' ai lu	j' avais lu	je lirais	(que) je lise
	tu lis	lis	tu liras	tu lisais	tu as lu	tu avais lu	tu lirais	(que) tu lises
	il/elle lit		il/elle lira	il/elle lisait	il/elle a lu	il/elle avait lu	il/elle lirait	(qu') il/elle lise
	nous lisons	lisons	nous lirons	nous lisions	nous avons lu	nous avions lu	nous lirions	(que) nous lisions
	vous lisez	lisez	vous lirez	vous lisiez	vous avez lu	vous aviez lu	vous liriez	(que) vous lisiez
	ils/elles lisent		ils/elles liront	ils/elles lisaient	ils/elles ont lu	ils/elles avaient lu	ils/elles liraient	(qu') ils/elles lisent

voir

INFINITIF	PRÉSENT	IMPÉRATIF	FUTUR	IMPARFAIT	PASSÉ COMPOSÉ	PLUS-QUE-PARFAIT	CONDITIONNEL	SUBJONCTIF
voir	je vois		je verrai	je voyais	j' ai vu	j' avais vu	je verrais	(que) je voie
	tu vois	vois	tu verras	tu voyais	tu as vu	tu avais vu	tu verrais	(que) tu voies
	il/elle voit		il/elle verra	il/elle voyait	il/elle a vu	il/elle avait vu	il/elle verrait	(qu') il/elle voie
	nous voyons	voyons	nous verrons	nous voyions	nous avons vu	nous avions vu	nous verrions	(que) nous voyions
	vous voyez	voyez	vous verrez	vous voyiez	vous avez vu	vous aviez vu	vous verriez	(que) vous voyiez
	ils/elles voient		ils/elles verront	ils/elles voyaient	ils/elles ont vu	ils/elles avaient vu	ils/elles verraient	(qu') ils/elles voient

devoir

INFINITIF	PRÉSENT	IMPÉRATIF	FUTUR	IMPARFAIT	PASSÉ COMPOSÉ	PLUS-QUE-PARFAIT	CONDITIONNEL	SUBJONCTIF
devoir	je dois		je devrai	je devais	j' ai dû	j' avais dû	je devrais	(que) je doive
	tu dois		tu devras	tu devais	tu as dû	tu avais dû	tu devrais	(que) tu doives
	il/elle doit		il/elle devra	il/elle devait	il/elle a dû	il/elle avait dû	il/elle devrait	(qu') il/elle doive
	nous devons		nous devrons	nous devions	nous avons dû	nous avions dû	nous devrions	(que) nous devions
	vous devez		vous devrez	vous deviez	vous avez dû	vous aviez dû	vous devriez	(que) vous deviez
	ils/elles doivent		ils/elles devront	ils/elles devaient	ils/elles ont dû	ils/elles avaient dû	ils/elles devraient	(qu') ils/elles doivent

savoir

INFINITIF	PRÉSENT	IMPÉRATIF	FUTUR	IMPARFAIT	PASSÉ COMPOSÉ	PLUS-QUE-PARFAIT	CONDITIONNEL	SUBJONCTIF
savoir	je sais		je saurai	je savais	j' ai su	j' avais su	je saurais	(que) je sache
	tu sais		tu sauras	tu savais	tu as su	tu avais su	tu saurais	(que) tu saches
	il/elle sait	sache	il/elle saura	il/elle savait	il/elle a su	il/elle avait su	il/elle saurait	(qu') il/elle sache
	nous savons	sachons	nous saurons	nous savions	nous avons su	nous avions su	nous saurions	(que) nous sachions
	vous savez	sachez	vous saurez	vous saviez	vous avez su	vous aviez su	vous sauriez	(que) vous sachiez
	ils/elles savent		ils/elles sauront	ils/elles savaient	ils/elles ont su	ils/elles avaient su	ils/elles sauraient	(qu') ils/elles sachent

pouvoir

INFINITIF	PRÉSENT	IMPÉRATIF	FUTUR	IMPARFAIT	PASSÉ COMPOSÉ	PLUS-QUE-PARFAIT	CONDITIONNEL	SUBJONCTIF
pouvoir	je peux		je pourrai	je pouvais	j' ai pu	j' avais pu	je pourrais	(que) je puisse
	tu peux		tu pourras	tu pouvais	tu as pu	tu avais pu	tu pourrais	(que) tu puisses
	il/elle peut		il/elle pourra	il/elle pouvait	il/elle a pu	il/elle avait pu	il/elle pourrait	(qu') il/elle puisse
	nous pouvons		nous pourrons	nous pouvions	nous avons pu	nous avions pu	nous pourrions	(que) nous puissions
	vous pouvez		vous pourrez	vous pouviez	vous avez pu	vous aviez pu	vous pourriez	(que) vous puissiez
	ils/elles peuvent		ils/elles pourront	ils/elles pouvaient	ils/elles ont pu	ils/elles avaient pu	ils/elles pourraient	(qu') ils/elles puissent

vouloir

INFINITIF	PRÉSENT	IMPÉRATIF	FUTUR	IMPARFAIT	PASSÉ COMPOSÉ	PLUS-QUE-PARFAIT	CONDITIONNEL	SUBJONCTIF
vouloir	je veux		je voudrai	je voulais	j' ai voulu	j' avais voulu	je voudrais	(que) je veuille
	tu veux		tu voudras	tu voulais	tu as voulu	tu avais voulu	tu voudrais	(que) tu veuilles
	il/elle veut		il/elle voudra	il/elle voulait	il/elle a voulu	il/elle avait voulu	il/elle voudrait	(qu') il/elle veuille
	nous voulons		nous voudrons	nous voulions	nous avons voulu	nous avions voulu	nous voudrions	(que) nous voulions
	vous voulez	veuillez	vous voudrez	vous vouliez	vous avez voulu	vous aviez voulu	vous voudriez	(que) vous vouliez
	ils/elles veulent		ils/elles voudront	ils/elles voulaient	ils/elles ont voulu	ils/elles avaient voulu	ils/elles voudraient	(qu') ils/elles veuillent

N° d'éditeur 10182513 - octobre 2011 - Imprimé par Bona S.p.A